VESTIGIOS

Dirección editorial
Ana Laura Delgado

Cuidado de la edición
Sonia Zenteno

Apoyo editorial
Ana María Carbonell

Corrección de estilo
Rosario Ponce
Rebeca Flores

Concepto de diseño
Roxana Ruiz Deneb

Diseño
Ana Laura Delgado

Formación electrónica
Elba Yadira Loyola

Primera edición
D.R. © 2007. Ediciones El Naranjo, S. A. de C. V.
Av. México 570, Col. San Jerónimo Aculco
Delegación Magdalena Contreras, C. P. 10400, México, D. F.
Tel. + 52 (55) 5652 9112 y 552 6769
elnaranjo@edicioneselnaranjo.com.mx
www.edicioneselnaranjo.com.mx

ISBN 978-968-5389-35-8

Impreso en China • Printed in China

Federico Guzmán • Texto

Ángel Campos • Ilustraciones

INTRODUCCIÓN

TODAS LAS CULTURAS, POR DISTINTOS MOTIVOS Y CON RESULTADOS DIVERSOS, HAN LEVANTADO LA VISTA AL CIELO. Los pueblos que habitaron el México antiguo no son la excepción. De hecho, lograron descifrar los secretos que los astros murmuran noche tras noche y día tras día con asombrosa exactitud. La astronomía llegó a ser para los mesoamericanos una verdadera obsesión y, fieles a ella, la llevaron hasta sus últimas consecuencias. A partir de ella crearon una religión, un modelo social, innumerables ceremonias y ritos, un estilo de vida basado en la agricultura y un calendario, el invento clave al que aspira cualquier sociedad interesada en la astronomía.

Las personas nos parecemos a las culturas porque, la razón es evidente, somos nosotras quienes las construimos. También nos gusta mirar el cielo de noche, cuando las estrellas, al parpadear, parece que quieren decirnos algo. De cierta manera intuimos que el firmamento guarda un orden que espera ser descifrado.

El mismo sentimiento que nos produce el movimiento cotidiano del Sol, los diferentes ciclos de la Luna —que a veces aparece de rostro entero y a veces sólo de perfil— y las figuras que forman las estrellas, fue el que experimentaron los mexicas y los mayas. Fue este sentimiento, esta curiosidad, esta sorpresa permanente ante el espectáculo inmutable del cielo, el que llevó a los hombres mesoamericanos a construir observatorios, realizar cálculos, predecir eclipses y medir el tiempo mediante los ciclos imperturbables de los planetas y las estrellas.

ESTE LIBRO FUE ESCRITO PARA DESPERTAR TU CURIOSIDAD. Para responder algunas de las preguntas que te formulas cuando ves el cielo salpicado de estrellas y para invitarte a observarlo con mayor detenimiento. Para explicarte cuál era la función de algunos edificios que has visitado en zonas arqueológicas o visto en fotografías. Para que conozcas la relación que otros seres humanos, que vivieron hace cientos de años pero que se parecen a ti más de lo que crees, guardaban con el cielo y sus astros.

Recorre las páginas de este libro y dirige tu mirada al firmamento. Al hacerlo, hallarás respuesta a muchas de tus preguntas y tropezarás con nuevos misterios. Y no olvides que esas estrellas que estás contemplando son las mismas que los mesoamericanos estudiaron desde lo alto de sus pirámides y observatorios.

La astronomía, ¿ciencia o invento?

A vosotras, estrellas,
alza el vuelo mi pluma temerosa, [...]

de la tiniebla triste
preciosas joyas, y del sueño helado
galas, que en competencia del Sol viste;
espías del amante recatado,
fuentes de luz para animar el suelo,
flores lucientes del jardín del cielo,

vosotras, de la Luna
familia relumbrante, ninfas claras,
cuyos pasos arrastran la Fortuna,
con cuyos movimientos muda caras,
árbitros de la paz y de la guerra,
que, en ausencia del Sol, regís la tierra;

vosotras, de la suerte
dispensadoras, luces tutelares
que dais la vida, que acercáis la muerte,
mudando de semblante, de lugares;
llamas, que habláis con doctos movimientos,
cuyos trémulos rayos son acentos; [...]

Francisco de Quevedo
Fragmento de *Himno a las estrellas*

DESDE SIEMPRE, EL HOMBRE HA LEVANTADO LA VISTA HACIA EL CIELO. En él ha encontrado múltiples enigmas y ha buscado la respuesta a muchas interrogantes. Los pueblos prehispánicos, al igual que otras culturas antiguas como la egipcia y la caldea, supieron observar y leer el firmamento. No se contentaron sólo con ver los astros, sino que estudiaron su movimiento y lo relacionaron con su mundo y con ellos mismos. El estudio de los astros llegó a ser tan importante para las sociedades mesoamericanas que afectó prácticamente todos los aspectos de la vida. La planeación de las ciudades, la creación de una religión muy compleja basada en un gran número de dioses, el desarrollo de la agricultura y la organización de la sociedad en diversos estratos cuya cúpula estaba constituida por los sacerdotes son sólo algunos ejemplos de la gran influencia que ejercía la astronomía.

TE PUEDE PARECER SORPRENDENTE QUE LAS ESTRELLAS Y LOS PLANETAS TENGAN TANTA IMPORTANCIA EN UNA SOCIEDAD, pero reflexiona un momento en las consecuencias que tiene el conocimiento del universo en nuestra vida cotidiana: la existencia de los satélites artificiales que controlan las telecomunicaciones (el teléfono, la Internet, la televisión vía satélite, etcétera), las creencias asociadas con los signos zodiacales, y algunos acontecimientos de religiones como el cristianismo. Recuerda, por ejemplo, aquel bello paisaje bíblico que narra cómo los Reyes Magos, guiados por una gran estrella, fueron a adorar al Niño Jesús.

LA ASTRONOMÍA ES UNA CIENCIA; NO UN INVENTO. Un invento es un objeto concebido para un fin específico. La ciencia, en cambio, es el estudio sistemático de los fenómenos naturales o sociales. Debido al desarrollo de la ciencia es posible generar inventos; por ejemplo, gracias al estudio de la química se inventaron los detergentes y los combustibles.

ES DIFÍCIL AFIRMAR QUE LA ASTRONOMÍA CONSTITUÍA UNA CIENCIA PARA EL HOMBRE PREHISPÁNICO, pues la noción de ciencia no surgió hasta el Renacimiento, en Europa. Los astrónomos prehispánicos no estudiaban el cielo guiados por un afán científico. Lo hacían para aprender, para explicarse su mundo y también para asociar la religión a las señales de los astros. Pero su exactitud y perseverancia fue tal, que a final de cuentas, la observación cumplió objetivos científicos. Gracias a los resultados, los astrónomos aplicaron los conocimientos adquiridos en innumerables aspectos de la sociedad.

Estela. Los mesoamericanos se preocuparon por plasmar sus creencias, conocimientos e historia en auténticos documentos de piedra.

IMAGINA POR UN MOMENTO QUE EN EL CIELO, DE NOCHE, NO HAY NINGUNA ESTRELLA. Es un panorama triste, ¿no es verdad? Cuando el hombre ve la bóveda celeste y mira los astros no hace más que buscar un orden. Si la noche fuera sólo oscuridad sería imposible encontrarlo, ya que no existiría ningún punto de referencia. Por fortuna existen las estrellas, y gracias a ellas es posible orientarse. De hecho, los marinos aún hoy saben hacia dónde dirigirse gracias a la posición de las estrellas. Si algún día te encuentras perdido en alta mar, recuerda que si sigues la Estrella Polar te estarás dirigiendo hacia el norte.

El problema con que se toparon los astrónomos antiguos es que este orden celeste es cambiante. Ni el Sol ni la Luna ni las estrellas permanecen en un mismo sitio. Todos se encuentran en constante movimiento. Por tal motivo, fue necesaria una observación minuciosa durante años, incluso siglos, y la colocación de puntos de referencia en la tierra, para poder entender, establecer y posteriormente prever el movimiento del cielo.

Fray Diego de Landa. Escribía sobre la civilización maya mientras ordenaba la destrucción de figuras y documentos.

LOS ESPAÑOLES FUERON LOS PRIMEROS EN DARSE CUENTA DEL GRAN CONOCIMIENTO ASTRONÓMICO QUE POSEÍAN LOS INDÍGENAS AMERICANOS. Prácticamente todos los intelectuales hispanos que escribieron alguna obra sobre las culturas prehispánicas dedicaron algunas páginas a la astronomía.

Dentro de ellos destaca la figura de fray Diego de Landa (1524-1579), quien escribió la obra más importante sobre la cultura maya, *Relación de las cosas de Yucatán*, y, aunque resulte paradójico, también fue el responsable de la destrucción de miles de figuras y de códices mayas. En este libro el fraile afirma que los mayas: “Tenían su año perfecto como el nuestro, de 366 días y 6 horas. Divídenlo en dos maneras de meses, los unos de a 30 días que se llaman U, que quiere decir Luna, la cual contaban desde que salía hasta que no parecía”.

HOY EN DÍA SE DISPONE DE UNA NUEVA CIENCIA PARA EL ESTUDIO DE LA ASTRONOMÍA PREHISPÁNICA: se trata de la arqueoastronomía. Muchas veces, las ciencias surgen cuando el nivel de conocimientos alcanzado sobre cierto tema así lo exige. Piensa, por ejemplo, en la genética. Ésta no existía anteriormente, pues se ignoraba incluso la existencia de los genes. No obstante, cuando la biología avanzó lo suficiente como para establecer las primeras bases de la herencia natural, el surgimiento de la genética se hizo tan necesario como inevitable. De esta forma, conforme el conocimiento se multiplica, se vuelve imprescindible una mayor especialización. Lo mismo que pasó con la genética sucedió con la arqueoastronomía. Antes, ésta era sólo una rama, incluso sin nombre, de la arqueología. Sin embargo, durante el último cuarto del siglo XX, los arqueólogos realizaron tantos hallazgos relativos a la astronomía antigua que surgió una nuevo campo de investigación más especializado. En pocas palabras, la arqueoastronomía es el conjunto de estudios dirigidos a entender los conocimientos astronómicos que poseían las culturas antiguas y el papel que éstos representaban en las sociedades. Si reflexionas un poco, te darás cuenta de que la arqueoastronomía se halla entre dos opuestos: el arriba y el abajo. Los arqueólogos siempre andan desenterrando ciudades y tesoros, mientras que los astrónomos viven con la mirada dirigida hacia el cielo. Uno de los atractivos de la arqueoastronomía es que conjuga la arqueología con la astronomía, o dicho de una manera más poética, la tierra y el cielo; se trata de la única ciencia que para desarrollarse requiere tanto del pico y la pala como del telescopio.

EL ATRACTIVO DE LAS CULTURAS PREHISPÁNICAS radica, en gran medida, en el conocimiento que tenían de los astros y sobre todo en la relación que guardaban con ellos. De hecho, desde hace muchos años, una parte importante de los estudios arqueológicos se ha dedicado a esclarecer los puntos oscuros que se tienen sobre este tema.

Pocas culturas como las que habitaron el México antiguo han mantenido una relación tan estrecha con el Sol, la Luna y las estrellas. Por este motivo, la arqueoastronomía se ha convertido en uno de los pilares del estudio de las culturas mesoamericanas, pues a través de ella es posible conocer muchos aspectos de su estructura, de su forma de pensar y de concebir el mundo y la vida.

Telescopio. Construido por Galileo Galilei.

El Castillo. Aún hoy, las pirámides se levantan entre las selvas, como lo han hecho por más de mil años.

TODAS LAS CIENCIAS REQUIEREN DE OTRAS PARA AVANZAR. De esta forma, se convierten en herramientas que se auxilian unas a otras, como engranes, para hacer funcionar la inmensa máquina del conocimiento. La arqueoastronomía no es la excepción; además, tiene la peculiaridad de hacer uso tanto de las ciencias naturales como de las humanísticas.

Entre otras, la arqueoastronomía se auxilia de las siguientes herramientas:

- **Astronomía**: Estudia composición, forma, tamaño, posición, movimiento y relaciones mutuas de los astros.
- **Antropología**: Su campo de estudio son los orígenes y la evolución biológica y cultural del hombre.
- **Arqueología**: Se encarga del estudio de las civilizaciones antiguas a través de los restos que se tienen de ellas.
- **Epigrafía**: Se dedica a conocer e interpretar las inscripciones.
- **Etnografía**: Su objetivo es la descripción histórica de las sociedades y los pueblos.
- **Historia del arte**: Analiza e interpreta las manifestaciones artísticas y el concepto de arte que ha creado el hombre a través de la historia.
- **Lingüística**: Se encarga del estudio del lenguaje.
- **Química**: Estudia la composición de la materia.

¿EN QUÉ SE BASAN LOS INVESTIGADORES PARA EL ESTUDIO DE LA ARQUEOASTRONOMÍA? Como hemos mencionado anteriormente, utilizan tanto el cielo como la tierra. Por principio de cuentas, un arqueoastrónomo debe dominar nociones básicas de astronomía para identificar la relación que ésta guarda con los vestigios arqueológicos a que tenga acceso. Éstos pueden ser tangibles o intangibles. Los tangibles son los que podemos tocar, tales como las estelas, las estructuras arquitectónicas, las esculturas, los murales, la cerámica, etcétera. Los intangibles son los que no podemos tocar pero que nos brindan mucha información. Algunos ejemplos serían los textos literarios e incluso los testimonios orales o las ceremonias que aún practican los grupos indígenas descendientes de las grandes civilizaciones mesoamericanas.

ASÍ COMO LA ARQUEOASTRONOMÍA SE AUXILIA DE OTRAS CIENCIAS PARA SU DESARROLLO, también sirve como herramienta para estudiar otros aspectos de las culturas mesoamericanas. Conocer la relación del hombre antiguo con los astros y el concepto que tenía de sí mismo con respecto al universo resulta muy útil para comprender otros componentes de la cultura, tales como la pintura, la literatura, la arquitectura, los mitos, la religión e incluso la dieta y las festividades.

Algunos de estos puntos te podrán parecer exagerados, pero piensa otra vez en el mundo de hoy. Una de las festividades más importantes que tenemos, el Año Nuevo, está directamente relacionada con un evento astronómico. En lo que respecta a la dieta, piensa que ésta se ve no pocas veces influenciada por la religión (recuerda que en Mesoamérica la religión y la astronomía eran prácticamente lo mismo): según el catolicismo, durante la Cuaresma no se debe comer carne, y los musulmanes y los judíos tienen prohibido ingerir carne de cerdo.

Los astrónomos prehispánicos

Otórganos nuestra señal,
nuestra palabra
en el camino al Sol, en el
camino a la luz.

Fragmento de una oración
contenida en el *Popol Vuh*

¿QUIÉNES ERAN ESTOS HOMBRES MISTERIOSOS QUE DE TANTO MIRAR EL CIELO LOGRARON DESCIFRAR SU MOVIMIENTO? ¿Cómo fue que tuvieron la paciencia de observar, noche tras noche, el firmamento hasta aprender a leerlo? ¿Cómo pudieron crear calendarios y predecir los eclipses sin contar con prácticamente ningún elemento técnico que les ayudara a ello?

Lo más sorprendente de todo es que estos astrónomos no se dedicaban exclusivamente al estudio de los astros, sino que el dominio de esta disciplina era parte del gran caudal de conocimientos que poseían. Esto se debe a que en el mundo prehispánico a las diversas ciencias no se les consideraba materias independientes: todas formaban parte de una misma unidad.

Además, quienes se dedicaban al estudio de la naturaleza tenían la responsabilidad de guardar el legado de sus antepasados, de plasmar nuevos conocimientos y acontecimientos importantes en los códices, de practicar artes como la poesía y la pintura, de oficiar las ceremonias religiosas y de interpretar las señales que los dioses enviaban a los hombres.

Al tomar en cuenta todas estas ramas nos damos cuenta de que los sabios prehispánicos ejercían funciones de historiadores, artistas, científicos y sacerdotes. Dada la importancia que tenía la religión en el mundo mesoamericano, alrededor de la cual giraba todo, era este último papel —el de sacerdotes— el que constituía su responsabilidad principal. De hecho, las demás labores eran una consecuencia de la importancia religiosa que tenían en sus manos.

Glifo mixteco. Representa instrumentos para observar el cielo.

Glifo de un eclipse de Sol.

TE PUEDE PARECER DIFÍCIL ENTENDER CÓMO UN SOLO HOMBRE SE DEDICABA AL ESTUDIO DE TODAS LAS MATERIAS. No obstante, es necesario tomar en cuenta que para los aztecas o los mayas el mundo, con todos sus diferentes rostros, era una unidad, por lo que era natural que un solo individuo tuviera que estudiar sus distintas facetas.

Por otra parte, todas las actividades de los sacerdotes giraban en torno a sus labores religiosas; estudiaban los astros porque eran la imagen de los dioses; se preocupaban de la historia de sus pueblos porque consideraban que conservar el legado de sus antepasados era una ocupación sagrada; escribían poesía para alabar a las deidades o para constatar la fugacidad del paso del hombre por el mundo.

El mundo mesoamericano no es el único en que un solo hombre dedicaba su tiempo al estudio de todas las ramas del conocimiento que por entonces se conocían. Lo mismo sucedía en la Grecia Antigua y en el Renacimiento, de donde surgieron hombres poseedores de un verdadero saber universal tales como Aristóteles, en Grecia, y Leonardo da Vinci, en Florencia, la ciudad renacentista por excelencia. ¡Y tú, al igual que ellos, estudias en la escuela desde biología hasta geografía y desde matemáticas hasta historia!

Sacerdote del *Códice Mendocino*.

LOS SACERDOTES PERTENECÍAN A LA CÚSPIDE DE LAS SOCIEDADES PREHISPÁNICAS. Además de ser las principales autoridades en materia religiosa y de ser los encargados de guardar el conocimiento, también ejercían un papel central del poder político. Así es, los sacerdotes también intervenían de manera directa en el gobierno. Muchas veces constituían un poder paralelo o eran los principales ministros y consejeros del rey, e incluso en más de una ocasión el rey mismo era también un sacerdote.

La religión también explica su participación en el gobierno. Las sociedades mesoamericanas reconocían en sus gobernantes un don divino; es decir, creían que los dioses los habían destinado a dirigir a sus pueblos. Al ser la religión el pilar de las sociedades, era lógico que los sacerdotes se ocuparan de dirigirlas.

Serpiente emplumada de la cultura maya.

DE LOS SABIOS DE LA ÉPOCA PREHISPÁNICA QUE MÁS SABEMOS SON DE LOS MEXICAS, pues ejercían sus funciones cuando los españoles llegaron a la Ciudad de México-Tenochtitlán. Algunos estudiosos españoles, la mayoría de las veces religiosos como fray Toribio de Benavente (mejor conocido como Motolinía) o fray Bernardino de Sahagún, se encargaron de registrar cómo eran estos sabios mexicas y algunos de los conocimientos que atesoraban. De hecho, durante los años posteriores a la caída de Tenochtitlán en 1521, tuvieron lugar varios encuentros y diálogos entre los sabios mexicas y españoles. ¿Te imaginas qué interesantes debieron de ser estos encuentros de sabios y sacerdotes pertenecientes a dos mundos diferentes y desconocidos?

De los sabios de otras culturas mesoamericanas como la teotihuacana conocemos mucho menos, pues sus figuras, así como sus ideas, se perdieron en gran medida con el paso del tiempo.

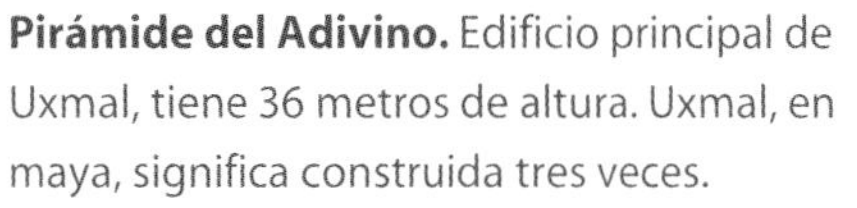

Pirámide del Adivino. Edificio principal de Uxmal, tiene 36 metros de altura. Uxmal, en maya, significa construida tres veces.

LOS GRANDES HOMBRES HAN EXISTIDO EN TODAS LAS ÉPOCAS Y LUGARES que se han dedicado al estudio de las ciencias y del hombre mismo. En el mundo prehispánico gran parte del conocimiento era guardado y producido por los sabios mayas y mexicas. Muchos años después, incluso siglos, otros hombres se interesaron a su vez en las obras de los sacerdotes mesoamericanos, con énfasis en las nociones astronómicas que descubrieron y en el lugar que la astronomía ocupaba dentro de su sociedad y forma de pensar. A estos estudiosos debemos las bases de lo que en la actualidad sabemos de la astronomía prehispánica. En los años inmediatamente posteriores a la Conquista fue poco el interés que los frailes españoles mostraron en la astronomía indígena, pues lo que les preocupaba era conocer a fondo las creencias religiosas de los mexicas con el fin de suplantarlas con el cristianismo.

AUNQUE SÓLO PASÓ UN AÑO EN LA NUEVA ESPAÑA, el italiano Juan Francisco Gemelli Carreri dejó constancia en su libro de viajes *Giro del mondo (Vuelta al mundo)*, editado en la ciudad de Nápoles en 1700, de algunos conceptos que los antiguos mexicanos guardaban sobre el Sol y la Luna.

Piedra del Sol. Se ha constituido como la figura emblemática de la civilización azteca.

QUIZÁS EL PRIMER ESTUDIOSO INTERESADO EN LA ASTRONOMÍA PREHISPÁNICA fue el erudito de la Nueva España Carlos de Sigüenza y Góngora (1645-1700). Además de ser el encargado de impartir la clase de Matemáticas y Astrología (antecedente de la astronomía) en la Universidad de México, don Carlos guardaba un profundo interés en el México antiguo. Fruto de sus conocimientos históricos y astronómicos fue el libro *La ciclografía mexicana*, en la que analiza el calendario mexica.

Carlos de Sigüenza y Góngora. Además de astrónomo, matemático e historiador, fue un destacado escritor de la Nueva España.

INTERESADO PRINCIPALMENTE EN LOS CALENDARIOS, EL ITALIANO LORENZO BOTURINI (1702-*ca.* 1751), quien recopiló una inmensa colección de documentos sobre el México antiguo, escribió la obra *Idea de una historia general de América septentrional*. En ella aventura la hipótesis de que los mesoamericanos habían tenido en realidad cuatro calendarios distintos. Boturini tuvo grandes problemas con la Santa Inquisición, que confiscó sus archivos.

DESCRIPCION
ORTHOGRAPHICA UNIVERSAL
DEL ECLIPSE DE SOL
DEL DIA 24 DE JUNIO DE 1778,
DEDICADA
AL SEÑOR DON JOAQUIN
VELAZQUEZ DE LEON,
Del Consejo de S. M., su Alcalde de Corte honorario en su Real Audiencia, y Director general del importante Cuerpo de la Minería de este Reyno de Nueva España,
POR
D. ANTONIO DE LEON Y GAMA
MDCCLXXVIII
MEXICO
CON LICENCIA EN MEXICO
En la Imprenta nueva Matritense de Felipe de Zúñiga y Ontiveros, calle de la Palma, año de 1778.

FUE ANTONIO DE LEÓN Y GAMA UNO DE LOS ESTUDIOSOS QUE MÁS APORTÓ A LAS BASES DE LA ARQUEOASTRONOMÍA (1735-*ca.* 1802). A él se deben las primeras interpretaciones acerca de la Piedra del Sol (erróneamente llamada "Calendario azteca") y el descubrimiento de la relación que guardaban en el mundo prehispánico la arquitectura, la astronomía y las celebraciones religiosas.

Alexander von Humboldt.
Fundador de la geografía física.

SI BIEN LA MAYOR APORTACIÓN AL ESTUDIO DEL MÉXICO ANTIGUO fue su infatigable búsqueda de manuscritos perdidos, Francisco del Paso y Troncoso (1842-1916) también aportó su grano de arena a la arqueoastronomía. En su obra *Los anales del museo* dedica un capítulo a la astronomía prehispánica, en el que confronta algunos conceptos de Mesoamérica con civilizaciones del Perú.

AUNQUE NO PUDO COMPROBARLA, ALFREDO CHAVERO (1841-1906), encargado de la redacción de dos volúmenes de la monumental obra *México a través de los siglos*, lanzó una teoría apasionante: afirma que Quetzalcóatl fue en realidad un sacerdote cuyo mayor mérito habría sido la invención del calendario. Esta teoría, cuya autenticidad es dudosa, muestra la íntima relación entre astronomía, calendario y religión.

EL GRAN EXPLORADOR Y CIENTÍFICO ALEMÁN ALEXANDER VON HUMBOLDT (1769-1859) viajero incansable, estudió la forma en que dividían el tiempo los mexicas, de lo que escribe en su libro *Vista de las cordilleras*: "He procurado hacer tanto durante mi estancia en América como después de mi regreso a Europa, un estudio exacto de todo aquello que se ha publicado sobre la división del tiempo y sobre el modo de intercalación de los aztecas".

MANUEL OROZCO Y BERRA (1816-1881) escribió la *Historia antigua y de la conquista de México* en la que, entre otros temas, describe el calendario tolteca, el maya y el mexica, relaciona algunas deidades prehispánicas con astros y constelaciones y describe la importancia que los acontecimientos astronómicos tenían en el mundo prehispánico. Por primera vez se da cuenta de la estrecha relación que guardaba Quetzalcóatl, la serpiente emplumada, con Venus, la estrella de la mañana.

Glifos de Venus a los lados del glifo del Sol.

La tierra y el cielo: nace la agricultura

[...] tu falda de maíz ondula y canta

Octavio Paz
Fragmento de *Piedra de Sol*

DE TANTO VER EL CIELO, EL HOMBRE MESOAMERICANO ACABÓ POR COMPRENDER QUE ÉSTE TENÍA UNA GRAN RELACIÓN CON LA TIERRA. Este hecho fue en cierta forma uno de los detonantes del área cultural que siglos después habitarían los grupos que ahora conocemos como olmecas, mayas y aztecas. El enorme interés y conocimiento de los astros y la organización de la sociedad con base en la agricultura son dos de las características que definen a las culturas prehispánicas del México antiguo.

La importancia del cielo y la tierra ha llegado hasta los grupos indígenas que pueblan países como México y Guatemala. Los quichés, que habitan en el estado mexicano de Chiapas y en Guatemala y que son herederos directos de la cultura maya, nombran el mundo de una manera tan singular como hermosa; utilizan una palabra que en español se traduciría como "cielo-tierra". Esto muestra que tanto para el hombre mesoamericano como para algunos grupos indígenas actuales, ambos ámbitos son inseparables y constituyen en realidad un solo lugar, aquel donde habitamos.

AL IGUAL QUE EN EL RESTO DEL MUNDO, LOS GRUPOS HUMANOS QUE VIVÍAN EN AMÉRICA ERAN NÓMADAS; esto significa que iban de un lugar a otro en busca de alimentos. Sus actividades principales eran la caza y la recolección de frutos. Pero todos los viajes tienen un final, y la vida errante de estos grupos terminó cuando el hombre descubrió la agricultura. De hecho, es a partir de este momento cuando empieza a gestarse Mesoamérica como área cultural. Cuando el hombre mesoamericano se volvió sedentario desarrolló un estilo de ciudad, de gobierno y de sociedad, y creó una religión compleja.

Cintéotl. Dios del maíz, en la cultura mexica.

Escena de códice. La mayoría de las grandes ciudades prehispánicas se construyeron cerca de una fuente de agua para asegurar el riego de las tierras agrícolas.

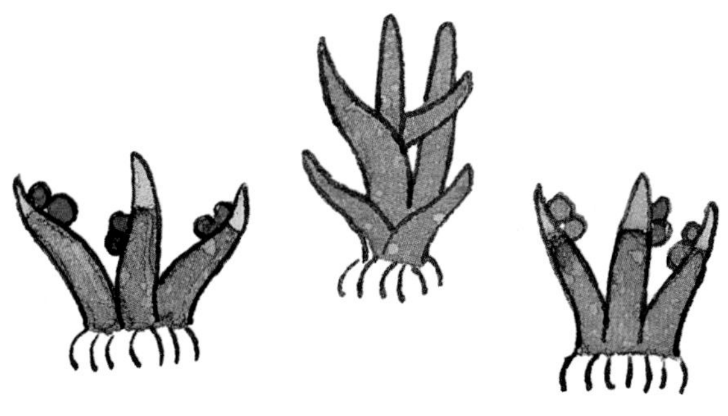

EXISTE UN GRAN MISTERIO QUE AÚN NO HA PODIDO SER DESCIFRADO POR LOS ARQUEÓLOGOS: el maíz, símbolo de Mesoamérica, no crece en la naturaleza de manera silvestre. La manera en que los primeros mesoamericanos obtuvieron y sembraron el maíz es un enigma.

HOY EN DÍA SEGUIMOS CONSUMIENDO LAS PRIMERAS SEMILLAS QUE SEMBRARON ESOS HOMBRES HACE UNOS SIETE MIL AÑOS. Esas semillas eran las mismas que ahora alimentan a gran parte de América Latina: frijol, calabaza, chile y, sobre todo, maíz. No deja de ser sorprendente que la dieta de una gran parte de la población se siga basando en los mismos productos que consumían los primeros americanos que se asentaron en ciudades rodeadas de campos de cultivo.

El maíz. Base de la alimentación prehispánica y de la del México del siglo XXI.

¿CUÁL ES LA RELACIÓN ENTRE LA TIERRA Y EL CIELO? ¿Qué tiene que ver el maíz con el movimiento de las estrellas? La respuesta no es difícil. Como seguramente sabes, todos los productos que provienen de la agricultura tienen una temporada especial. Por eso en abril los mercados están llenos de mangos y piñas y en diciembre de guayabas y tejocotes. Esto se debe a que los tiempos propicios para sembrar y cultivar las diferentes plantas varían.

Los antiguos mexicanos conocían la época en que tenían que sembrar y cosechar cada uno de sus productos gracias a la observación detenida tanto del cielo, la posición específica de los astros, como de la tierra. La posición de los astros, como un calendario exacto, les indicaba cuándo debían trabajar la tierra, cuándo iniciaban las lluvias y cuándo debían recoger los frutos.

SI VIVES EN EL CAMPO O ALGUNA VEZ LO HAS VISITADO Y TE HAS DETENIDO A HABLAR CON LOS CAMPESINOS, te darás cuenta de que saben leer el cielo; su color, la forma de las nubes, el viento y la temperatura les indica cuál será el estado del tiempo. Algunos de ellos todavía guían sus siembras por las señales del cielo que sus ancestros les enseñaron a interpretar.

Dios viejo o del fuego. Llamado Huehuetéotl-Xiuhtecuhtli, quien habitaba en el templo principal del nivel terrestre del universo concebido por los pueblos prehispánicos.

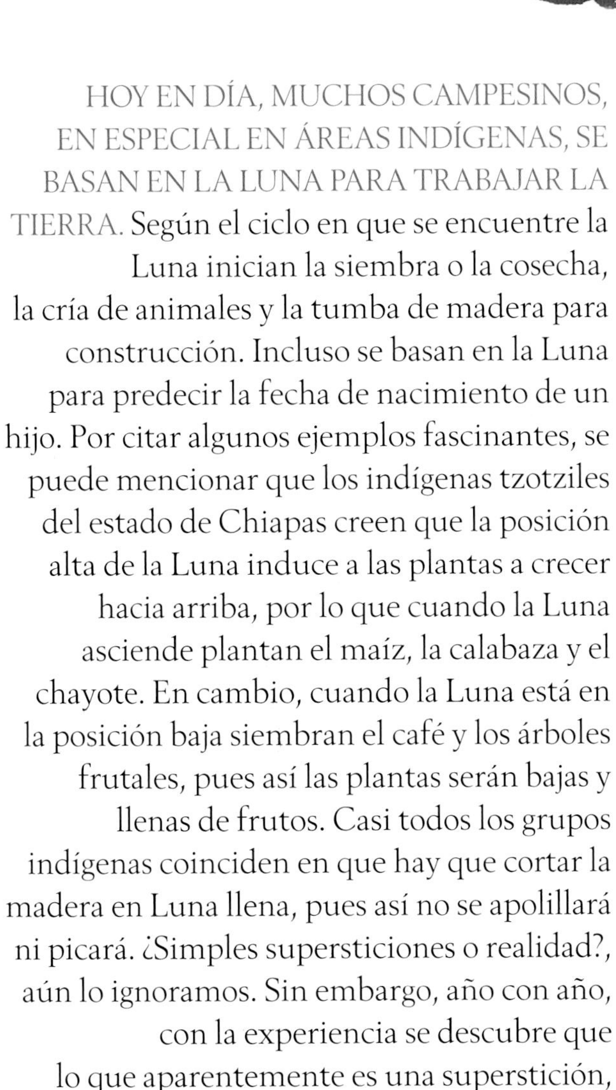

HOY EN DÍA, MUCHOS CAMPESINOS, EN ESPECIAL EN ÁREAS INDÍGENAS, SE BASAN EN LA LUNA PARA TRABAJAR LA TIERRA. Según el ciclo en que se encuentre la Luna inician la siembra o la cosecha, la cría de animales y la tumba de madera para construcción. Incluso se basan en la Luna para predecir la fecha de nacimiento de un hijo. Por citar algunos ejemplos fascinantes, se puede mencionar que los indígenas tzotziles del estado de Chiapas creen que la posición alta de la Luna induce a las plantas a crecer hacia arriba, por lo que cuando la Luna asciende plantan el maíz, la calabaza y el chayote. En cambio, cuando la Luna está en la posición baja siembran el café y los árboles frutales, pues así las plantas serán bajas y llenas de frutos. Casi todos los grupos indígenas coinciden en que hay que cortar la madera en Luna llena, pues así no se apolillará ni picará. ¿Simples supersticiones o realidad?, aún lo ignoramos. Sin embargo, año con año, con la experiencia se descubre que lo que aparentemente es una superstición, tiene cierta lógica.

LA IMPORTANCIA DE LA AGRICULTURA ERA TAN GRANDE EN LAS SOCIEDADES PREHISPÁNICAS que se cree que un calendario se basaba en ella. Existen investigadores que afirman que el calendario religioso de 260 días coincide con el periodo de crecimiento de las plantas. De esta forma, un calendario, el astronómico, habría estado basado en el cielo; mientras que otro, el religioso, tomaba como referencia la tierra (véase pág. 38).

Escenas del cultivo del maíz. Tomadas del *Códice Florentino.*

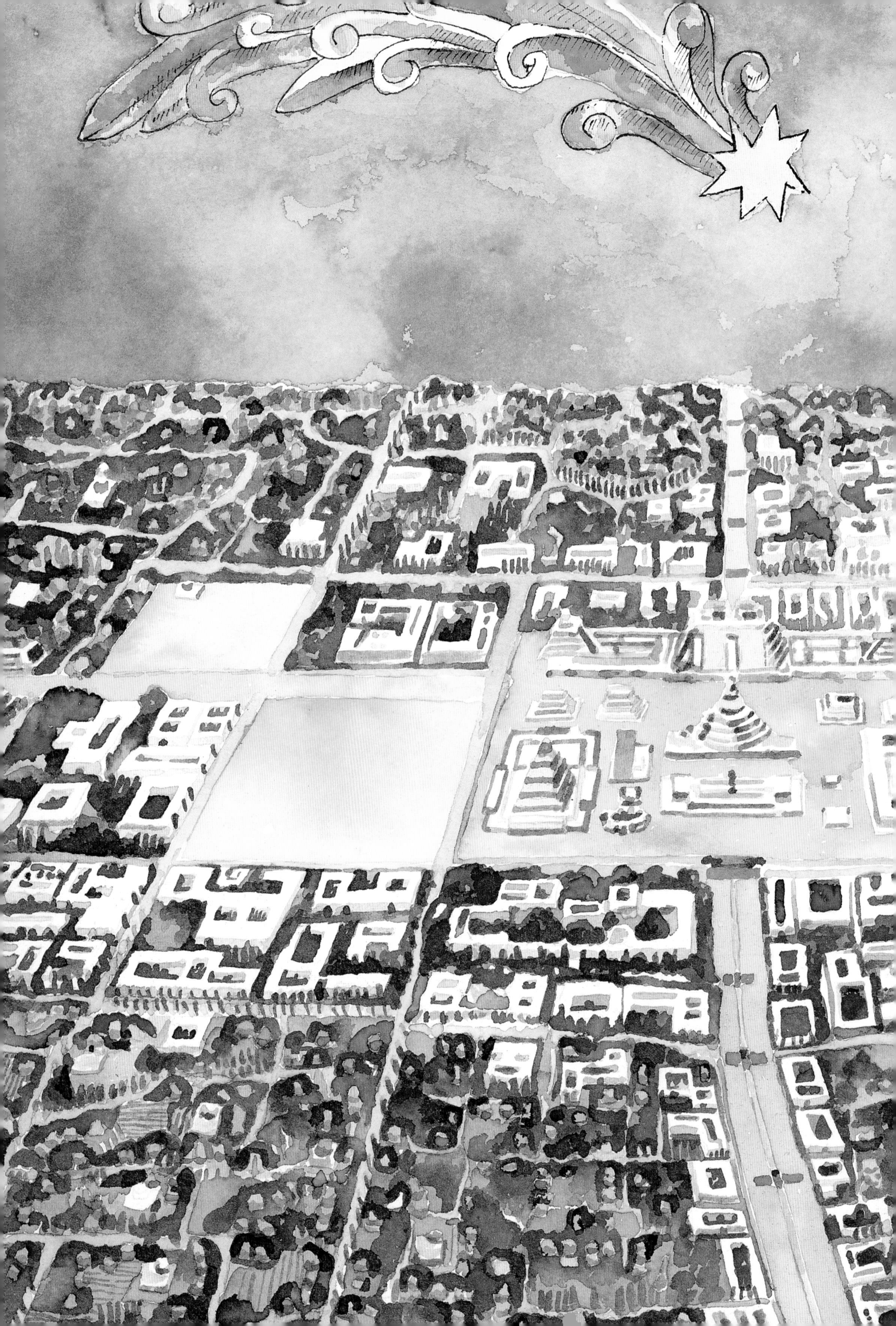

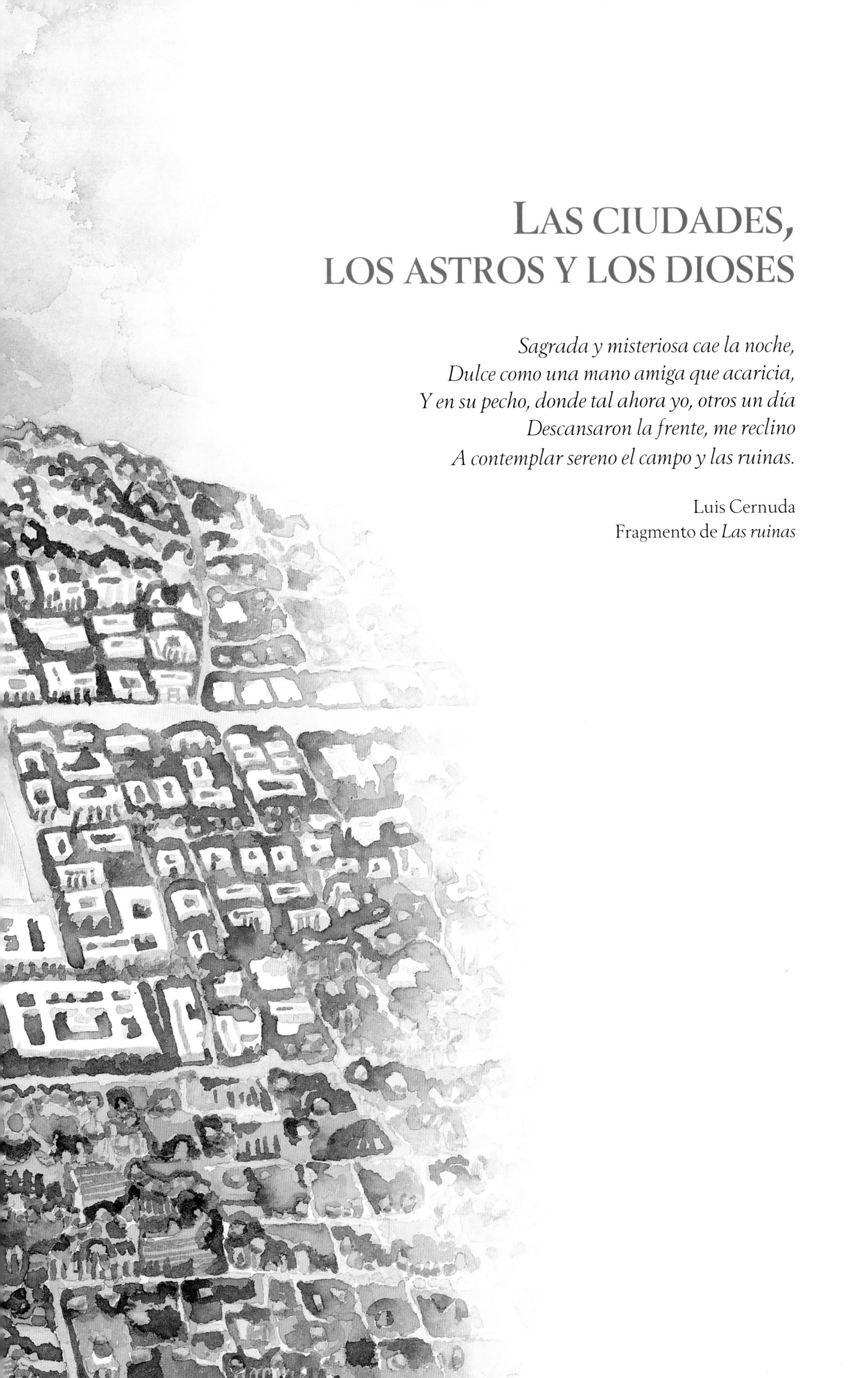

Las ciudades, los astros y los dioses

Sagrada y misteriosa cae la noche,
Dulce como una mano amiga que acaricia,
Y en su pecho, donde tal ahora yo, otros un día
Descansaron la frente, me reclino
A contemplar sereno el campo y las ruinas.

Luis Cernuda
Fragmento de *Las ruinas*

Edificio maya. A través de la decoración los arquitectos y artistas plasmaban su visión del mundo y del universo.

LOS EXPLORADORES DEL SIGLO XIX, CUANDO VISITABAN POR PRIMERA VEZ CIUDADES QUE NO HABÍAN SIDO habitadas durante siglos, no encontraban ningún orden en ellas. Las pirámides y los palacios parecían haber sido construidos al azar, imagen que era reforzada por la selva que cubría muchos de los sitios prehispánicos y que los convertía en un laberinto de plantas y piedras. Los edificios surgían donde menos se les esperaba y, más que ciudades planificadas, los viajeros creían encontrarse en las ruinas de poblaciones caóticas e improvisadas.

Quizás tú hayas experimentado la misma sensación al visitar algún sitio arqueológico como El Tajín o Uxmal. Los edificios importantes suelen encontrarse lejos uno de otro, y en ocasiones pareciera que no existían calles o plazas que dotaran de un esquema urbano a las ciudades. Sin embargo, esta primera impresión es completamente falsa; las ciudades mesoamericanas fueron construidas con extremo cuidado, con una planificación que tomaba en cuenta y calculaba hasta el más mínimo detalle.

LAS CIUDADES DE LOS MESOAMERICANOS NO FUERON CONSTRUIDAS DE UNA FORMA FUNCIONAL, SINO COMO UNA COPIA DEL FIRMAMENTO y con base en creencias religiosas y en conceptos astronómicos. Los antiguos americanos consideraban que los astros eran una representación de los dioses o, incluso, los mismos dioses. La traza de las ciudades debía copiar el orden celeste, con el fin de alcanzar la armonía entre los ámbitos humano y divino, entre el cielo y la tierra.

ANTIGUAMENTE SE CONCEBÍA EL CIELO, LA TIERRA Y EL INFRAMUNDO COMO PARTES DE UN MISMO ORDEN, como tres lugares de un mismo universo. Nosotros, al contrario, creemos que nuestro mundo es en sí una totalidad, e incluso las religiones que creen en un paraíso o en un infierno sitúan estos lugares en un orden completamente ajeno al terrestre, al de la vida de todos los días.

PARA LOS MESOAMERICANOS, EL CIELO, EL MUNDO Y EL INFRAMUNDO ESTABAN EN CONSTANTE CONTACTO y guardaban entre sí una relación muy estrecha; eran, de hecho, las tres partes que componían el universo y que no podían ser separadas. Estos tres niveles estaban comunicados de muy diversas maneras, por ejemplo, mediante la ceiba, árbol que era considerado sagrado justamente por enlazar los tres niveles.

Dentro de este orden, la aspiración del hombre era adorar y aprender de los dioses, por lo que la tierra debía ser una copia del cielo. Las ciudades se levantaron como una imitación del firmamento; la astronomía fue la base de la arquitectura. La tierra debía seguir los lineamientos dictados por el cielo, y por eso los edificios y las avenidas tenían una orientación astronómica que iba de la mano de un significado religioso.

VARIOS EDIFICIOS FUERON CONSTRUIDOS CON UNA ORIENTACIÓN ESPACIAL PRECISA PARA SEÑALAR FECHAS IMPORTANTES EN RELACIÓN CON LOS ASTROS. El mejor ejemplo de ello es El Castillo en Chichén Itzá, en la que la famosa serpiente de luz desciende la pirámide cada equinoccio de primavera y de verano (véase pág. 54). Existen innumerables estructuras asociadas a un acontecimiento astronómico en diversos sitios arqueológicos, tales como El Tajín (Veracruz), Monte Albán (Oaxaca), Edzná y Calakmul (Campeche), Uxmal, Mayapán y Cehtzuc (Yucatán), Uaxactún y Tonalá (Chiapas), Tenochtitlán y Cuicuilco (Distrito Federal), Xochicalco (Morelos), Cholula (Puebla), Cacaxtla (Tlaxcala) y Malinalco y Teotihuacán (Estado de México).

Los acontecimientos astronómicos se convertían de esta forma en acontecimientos terrestres y sociales, pues los movimientos de los astros tenían una consecuencia directa y visible en las ciudades de los hombres.

No es de extrañar que muchas de las festividades religiosas más importantes del mundo mesoamericano tuvieran lugar, precisamente, en los días marcados por ciclos astronómicos determinados, como las celebradas durante los solsticios y equinoccios.

ASÍ COMO EL UNIVERSO PARA EL HOMBRE MESOAMERICANO ESTABA FORMADO POR TRES CAPAS (EL CIELO, EL MUNDO Y EL INFRAMUNDO), la sociedad estaba compuesta por diversos estratos. En la cumbre de la sociedad se encontraba el rey, rodeado de una corte de sacerdotes nobles. Otro grupo privilegiado era el de los guerreros. La base de la sociedad, y también de la economía, la formaban los campesinos. La ciudad prehispánica era una muestra del orden social. La misma forma de la pirámide representa la segmentación en capas y recuerda el orden jerárquico de la organización de las sociedades. La disposición de los edificios dentro de las ciudades también recuerda la organización social: al centro, en lo más alto, los templos más importantes, rodeados de zonas residenciales destinadas a la nobleza. Fuera de este círculo de poder, las habitaciones de los campesinos.

OTRAS CULTURAS DEL MUNDO TAMBIÉN RELACIONARON ALGUNAS DE SUS FIESTAS MÁS IMPORTANTES CON ACONTECIMIENTOS ASTRONÓMICOS. Tal es el caso, por ejemplo, de las fiestas griegas en honor al dios Apolo, de las ceremonias romanas dedicadas a la diosa Minerva y de la noche de San Juan, que todavía se festeja en Europa; las tres celebraciones coincidían con el solsticio de verano (21 de junio), día en que el Sol se encuentra más alejado del ecuador por lo que es el día más largo y la noche más corta del año en el Hemisferio Norte.

Chac Mool. Una de las figuras prehispánicas más conocidas en todo el mundo es ésta.

LAS CIUDADES PREHISPÁNICAS, ADEMÁS DE SERVIR COMO MORADA A LOS HOMBRES, eran también un reflejo del cielo y de la organización de la sociedad, además de un gran escenario para llevar a cabo los ritos y las ceremonias religiosas. Los arquitectos las levantaron tomando en cuenta todos estos factores, de ahí su complejidad, su belleza y su orden en apariencia caótico.

LAS CIUDADES NO SÓLO ERAN LA MORADA DE LOS HOMBRES Y EL REFLEJO DEL CIELO, sino también un gran escenario donde se llevaban a cabo las ceremonias religiosas. Este factor es determinante al estudiar su disposición y trazado, pues estaban diseñadas, entre otras cosas, para servir como un gran teatro o como un inmenso centro ceremonial.

LA ORIENTACIÓN DE LOS EDIFICIOS PARA DESTACAR LOS ACONTECIMIENTOS ASTRONÓMICOS ERA SÓLO UNA PARTE DE LA ESCENOGRAFÍA PARA LLEVAR A CABO LAS CEREMONIAS RELIGIOSAS. Las plazas, las avenidas, las pirámides estaban planificadas para acoger las ceremonias religiosas, por lo que su traza buscaba sorprender y maravillar al pueblo, espectador y protagonista de dichas ceremonias. Los arquitectos mesoamericanos eran cuidadosos en el estudio de las perspectivas dentro de la ciudad, en el juego de espacios, en la disposición de las plazas, todo ello encaminado a que las ceremonias resultaran espectaculares y conmovedoras.

Las fachadas de las pirámides y las calzadas. En los sitios arqueológicos están colocadas para marcar fechas exactas o indicar puntos en el cielo.

LAS EDIFICACIONES PREHISPÁNICAS CONSTRUIDAS CON UNA ORIENTACIÓN ASTRONÓMICA SON MUCHAS. Año con año, los arqueoastrónomos descubren más pirámides y palacios que fueron construidos en función de los astros. Esto constituye un aspecto apasionante de los estudios arqueoastronómicos, pues se confirma que incluso aquellas ciudades que se creía que ya habían sido estudiadas a profundidad y de las que ya se habían develado todos sus secretos guardan aún muchos misterios. A continuación se ofrecen algunos ejemplos:

LA GRAN PIRÁMIDE DE CHOLULA. Se trata, ni más ni menos, con sus cuatrocientos metros por lado de base, de la pirámide más grande del mundo, más aún que las legendarias pirámides de Keops, en Egipto, y del Sol, en Teotihuacán. Durante el solsticio de verano (21 de junio), el Sol se alinea con esta majestuosa edificación.

Por otra parte, toda la ciudad prehispánica comparte la misma orientación de la pirámide, y al edificar la colonial se copió la orientación de la prehispánica. Sin saberlo, los conquistadores españoles construyeron su ciudad guiados por el Sol.

PIRÁMIDE DE LOS CINCO PISOS DE EDZNÁ. Esta pirámide maya está alineada con el Sol al poniente y al oriente. Además muestra una orientación típica de diversas estructuras mesoamericanas al dividir el año solar de 365 días en una relación de 104/260 días, que guarda correspondencia tanto con los calendarios astronómicos y religiosos como con cifras de carácter mágico y adivinatorio.

EL PALACIO DEL GOBERNADOR DE UXMAL. En este suntuoso y elegante edificio la relación entre la arquitectura y la astronomía no podía ser más estrecha. El palacio está orientado hacia la posición donde surge Venus cuando alcanza el punto más extremo en el sureste. Este día, el palacio se adorna con el brillo de la estrella de la mañana. Para confirmar la relación entre el palacio y Venus, la parte alta de la fachada del edificio está decorada con numerosos mascarones que muestran el glifo de Venus.

El Palacio del Gobernador. Forma parte del conjunto monumental de Uxmal, junto a la Casa de las Tortugas, el Cuadrángulo de las Monjas y la Casa del Adivino o del Enano.

LA PIRÁMIDE DE LOS NICHOS DE EL TAJÍN. Esta hermosa pirámide muestra en su arquitectura otra de las obsesiones astronómicas de las culturas mesoamericanas: el calendario. La pirámide se alinea con el Sol cada 73 días, es decir, divide el año solar en cinco partes exactas. Algunos especialistas especulan que la pirámide tenía un nicho por cada día del año, teoría que no ha podido ser comprobada dado el gran deterioro en que se encontraba la Pirámide de los Nichos antes de su remodelación. Los antiguos totonacas celebraban un culto especial al Sol, muestra de ello es que la pirámide más importante de su capital estaba dedicada a él; además, llevaban a cabo un ritual, que ha llegado hasta nuestros días, en que se le rinde culto: la danza de los voladores de Papantla.

Voladores de Papantla.

CUAUHCALLI O CASA DE LAS ÁGUILAS DE MALINALCO. En el solsticio de invierno (21 de diciembre), el Sol irrumpe en el interior de este impresionante templo, tallado en su totalidad en una sola y gigantesca roca. Los rayos solares iluminan el águila que se encuentra dentro del templo y que representa justamente al Sol. En este día, los aztecas festejaban la bajada de Huitzilopochtil, el dios del Sol y de la guerra, al mundo de los hombres.

EL BASAMENTO CIRCULAR DE CUICUILCO ES UNA DE LAS POCAS CONSTRUCCIONES CIRCULARES que se conservan hoy en día de la América prehispánica, posee dos entradas colineales que dividen en dos la circunferencia. Cuando el Sol se alinea con las entradas, se señala el día que se sitúa justo entre el solsticio de verano y el de invierno.

Centro ceremonial de Cuicuilco. Actualmente se encuentra al sur de la Ciudad de México.

La Pirámide del Sol. Domina el sitio arqueológico de Teotihuacán.

PIRÁMIDE DEL SOL DE TEOTIHUACÁN. Siempre se ha conocido a esta colosal edificación como la Pirámide del Sol, aunque nunca se había demostrado si en realidad guardaba una correspondencia con el astro. Gracias a la arqueoastronomía, ésta quedó comprobada al advertir que el Sol se alinea con la pirámide y divide el año en una relación de 104/260 días, al igual que la Pirámide de los cinco pisos de Edzná.

Los calendarios y sus aplicaciones

...no poseyendo más, en fin,
que mi memoria de las noches y
su vibrante delicadeza enorme;

no poseyendo más
entre cielo y tierra que
mi memoria, que este tiempo;

decido hacer mi testamento.
Es éste:
les dejo

el tiempo, todo el tiempo.

Eliseo Diego
Fragmento de *Testamento*

GRACIAS A LOS CALENDARIOS PODEMOS UBICAR ACONTECIMIENTOS EN EL TIEMPO, saber cuándo se celebra determinada fiesta y el momento preciso en que se cumple un ciclo astronómico. Si te das cuenta, nuestro calendario cumple diversas funciones al mismo tiempo, pues, además de registrar el curso de las estaciones, también afecta nuestra vida cotidiana al marcar la celebración de fiestas religiosas —como la Navidad o el Día de Muertos— y civiles —como el día de la Revolución, además de organizar innumerables actividades sociales.

El sistema con el que los mayas medían el paso de los años y marcaban sus celebraciones era bastante más complicado, ya que no utilizaban un solo calendario —como nosotros— sino muchos. De todos ellos los principales eran dos: el religioso, llamado tzolkin, y el astronómico, denominado haab.

Mascarón zoomorfo de Chac.

DE LOS CALENDARIOS MESOAMERICANOS EL RELIGIOSO O TZOLKIN ES EL MÁS ANTIGUO, y sus orígenes se pueden rastrear al estudiar a los olmecas, cuyo esplendor se dio varios siglos antes de que los mayas existieran como civilización. Casi todas las culturas prehispánicas utilizaron este calendario o al menos se vieron influenciadas por él, y la prueba de ello es que el nombre de los días es muy similar en todas las culturas, aunque hablaran idiomas distintos como el totonaco, el zapoteco, el náhuatl o el maya.

El calendario tzolkin no guarda ninguna relación con el movimiento de los astros; se trata de un sistema en el que los mayas combinaron el número 20 —la base de su numeración y cifra sagrada pues representa al ser humano, quien tiene diez dedos en las manos y diez en los pies— con el número 13, que consideraban mágico. De esta forma obtuvieron un almanaque formado por trece ciclos o meses de veinte días cada uno, lo que da en total un gran ciclo de 260 días, periodo que corresponde con el tiempo de gestación de un feto en el vientre materno, lo que refuerza su naturaleza mágica y esotérica.

Cabeza olmeca. El origen del calendario tzolkin se remonta a la cultura olmeca.

EL CALENDARIO RELIGIOSO O TZOLKIN CUMPLÍA SOLAMENTE FUNCIONES RELIGIOSAS Y ADIVINATORIAS. Mediante él, los sacerdotes otorgaban a los recién nacidos su primer nombre (el segundo lo elegían los padres) y pronosticaban su personalidad y destino. Este sistema te puede parecer curioso, pero al reflexionar un poco te darás cuenta de que nuestra cultura cuenta con procesos similares, como el zodiaco, que otorga un signo y un ascendiente a los recién nacidos dependiendo del día y la hora en que hayan llegado al mundo; por ejemplo, Virgo, ascendiente Sagitario, para alguien que nació a mediados de septiembre a las nueve de la mañana.

Por otra parte, aunque sea una costumbre cada vez menos extendida, se solía nombrar a los bebés de acuerdo con el día del nacimiento, tomando como base el santoral católico; de ahí que, por ejemplo, a alguien nacido el 30 de julio se le llamara Julieta, o Simplicio a quien lo hubiera hecho el 10 de marzo.

Rueda del calendario del *Códice Durán*.

EL ASTRONÓMICO O HAAB TAMBIÉN ESTÁ ORGANIZADO EN MESES DE 20 DÍAS, aunque en este caso sean 18, lo que, al agregar un mes extra de sólo cinco días, el Uayeb, da como resultado 365 días: la duración exacta de un año solar nuestro. Además de que los días y los meses tenían un nombre en particular —al igual que nuestros días y nuestros meses—, los mayas también los dotaron de una imagen especial para distinguirlos. No es extraño que lo hayan hecho, pues su escritura se basaba en gran medida en el uso de glifos (imágenes que representan una palabra o concepto), y los días y los meses no fueron la excepción. Los únicos días que no tenían nombre eran los cinco extras, pues los mayas, y posteriormente los aztecas, los consideraban aciagos o de mal agüero.

Al contrario del tzolkin, el haab marcaba a los hombres acontecimientos muy importantes para la supervivencia, como los periodos de siembras y de cosechas, de secas y de lluvias, así como la celebración de algunas festividades.

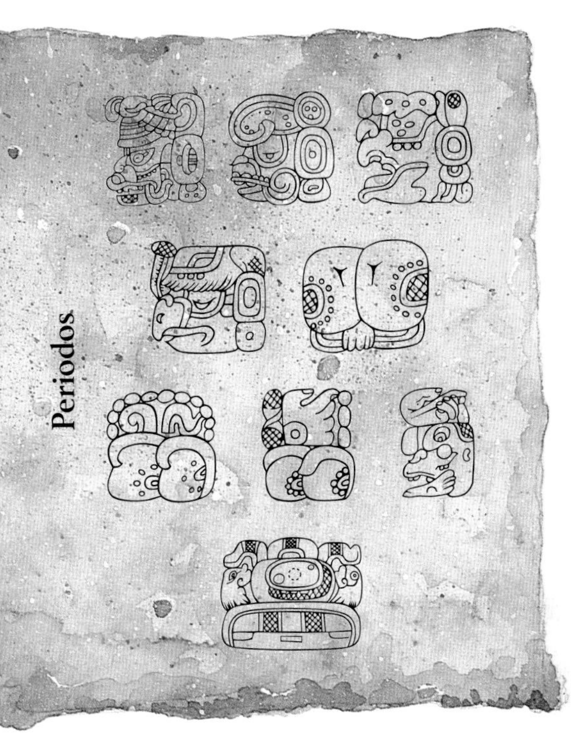

Nombres de días, meses y periodos de los calendarios mesoamericanos. Aunque éstos cambian en cada cultura, conservan cierta relación que nos hace pensar que tienen un origen común.

Máscara de Ina Mahu (Xipe Totec). Encontrada en Monte Albán, Oaxaca.

LOS ASTRÓNOMOS MAYAS SE DIERON CUENTA DE QUE EL AÑO DE 365 DÍAS incurría en un error astronómico mínimo que, al acumularse año tras año, podía traer un desfase. Nosotros, para corregir este pequeño error, agregamos un día —el 29 de febrero— cada cuatro años, lo que se conoce como año bisiesto. Los mayas encontraron un remedio aún más exacto que el que nosotros utilizamos: al momento de registrar una fecha, ponían especial cuidado en corregir el error acumulado, el cual quedaba borrado. Al combinar ambos calendarios se obtiene lo que se ha denominado la Rueda Calendárica, la cual se completa en el momento en que el haab y el tzolkin vuelven a coincidir. Esto sucede después de 73 tzolkines o 52 haabes, es decir, después de 18 980 días. Para los aztecas, que también utilizaban ambos calendarios, este ciclo de 52 años era muy importante, ya que implicaba la posibilidad de que el mundo hubiera llegado a su fin.

PARA LOS MAYAS ESTE CICLO DE 52 AÑOS CARECÍA DE IMPORTANCIA, pues su concepción del tiempo era mucho más amplia. De hecho, desarrollaron un sistema de ciclos conocido como Cuenta Larga que alcanzaba millones de años y mediante el cual registraban una fecha determinada. Los principales ciclos que abarcaba la Cuenta Larga eran:

Kin	= 1 día	
Uinal	= 20 kines	= 20 días
Tun	= 18 uinales	= 360 días
Katun	= 20 tunes	= 7 200 días
Baktun	= 20 katunes	= 144 000 días
Pictun	= 20 baktunes	= 2 880 000 días
Calabtun	= 20 pictunes	= 57 600 000 días
Kinchiltun	= 20 calabtunes	= 1 152 000 000 días
Alautun	= 20 kinchiltunes	= 23 040 millones de días o 63 millones de años, aproximadamente

Rueda calendárica. Con esta representación en la que se combinan los días del tzolkin, los del haab y los periodos de la Cuenta Larga podrás comprender mejor cómo se relacionaban los calendarios.

LOS MAYAS NO SÓLO CONTABAN CON ESTOS DOS CALENDARIOS, sino con varios más, aunque eran menos usados y de hecho se ignora en gran medida cuál era su función. Entre ellos se puede mencionar el calendario lunar, el de los nueve acompañantes nocturnos y el ciclo esotérico de los 819 días, que se especula que estaba relacionado con siete deidades terrestres, nueve del inframundo y 13 del celeste, pues la multiplicación de 7 x 9 x 13 da como resultado 819.

AÚN NO ESTÁ PLENAMENTE DEFINIDA LA CORRELACIÓN ENTRE EL CALENDARIO MAYA Y EL CRISTIANO, y existen varias teorías al respecto. Entre las dos más aceptadas se da un desfase de 160 años. No obstante, se tienen bases para creer que el calendario de los mayas inicia en lo que en el nuestro sería el 12 de agosto de 3113 a. de C., por lo que el año 2000 d. de C. correspondería al año maya 5114. Así que, gracias a estos datos, ya sabes en qué año del calendario maya nos encontramos en este preciso momento.

Templo del Sol. Los mayas se preocuparon por dejar plasmada en casi todas sus ciudades la fecha en que fueron construidas.

VENUS, LA ESTRELLA DE LA MAÑANA Y DE LA TARDE

Pero yo, Quetzalcóatl,
sufro el misterio corrosivo
de ser al mismo tiempo
eternidad y llanto,
esperanza y derrota.

Félix Dauajare
Fragmento de *Quetzalcóatl*

POR MUCHOS AÑOS SE PENSÓ QUE LOS MAYAS ERAN UN PUEBLO PACÍFICO, cuyas únicas preocupaciones consistían en mirar el cielo y calcular el tiempo. Ahora se sabe que no es así; los mayas también eran un pueblo profundamente guerrero. Sin embargo, que los mayas practicaran constantemente la guerra no significa que su interés por la astronomía fuera menor. Se trata de una cultura preocupada tanto por los asuntos del cielo como por los de la tierra.

Los mayas llegaron a considerar la guerra como una extensión de la astronomía. Sí, aunque parezca increíble, creían que el curso de los astros influía de manera decisiva en las contiendas bélicas. Recuerda que los mayas leían en el movimiento de las estrellas los designios de los dioses, que naturalmente tenían un poder total sobre los asuntos humanos.

Dentro de estos "astros guerreros", por llamarlos de alguna manera, destaca Venus, la estrella de la mañana y del atardecer. Este planeta siempre tuvo una importancia central en la religión mesoamericana, pues se le asocia con Quetzalcóatl, la serpiente emplumada, una de las deidades más alabadas.

Guerrero maya. Los reyes, los sacerdotes y los guerreros fueron representados en estelas, figuras y murales.

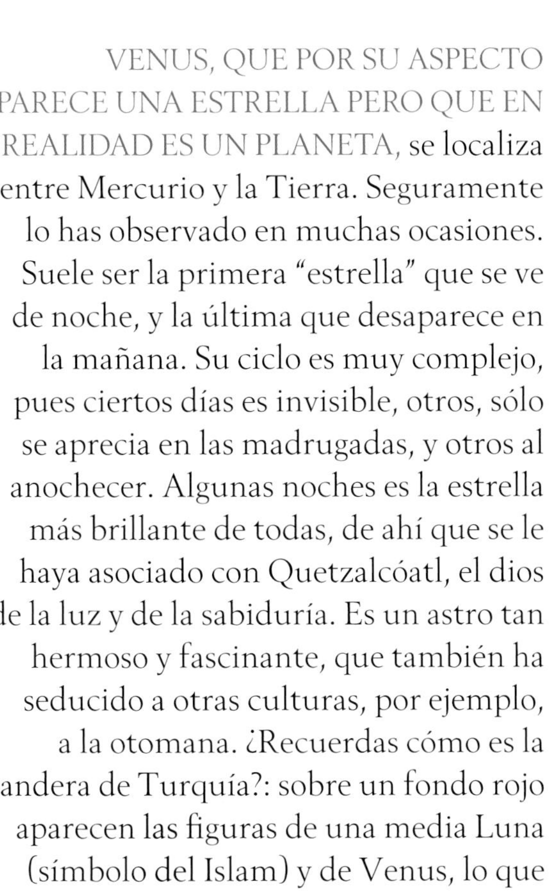

LOS MAYAS CONOCÍAN A LA PERFECCIÓN EL CICLO DE VENUS, y asociaron los días previos a su invisibilidad en el firmamento con un periodo de desgracias. En estos días aciagos (al igual que durante los días sobrantes del año, véase pág. 40) iniciaban temporadas de sequías o plagas, y morían reyes, príncipes, viejos o niños. Por el contrario, cuando Venus comenzaba su ascensión por el cielo, se consideraba que era un tiempo generoso y benigno.

VENUS, QUE POR SU ASPECTO PARECE UNA ESTRELLA PERO QUE EN REALIDAD ES UN PLANETA, se localiza entre Mercurio y la Tierra. Seguramente lo has observado en muchas ocasiones. Suele ser la primera "estrella" que se ve de noche, y la última que desaparece en la mañana. Su ciclo es muy complejo, pues ciertos días es invisible, otros, sólo se aprecia en las madrugadas, y otros al anochecer. Algunas noches es la estrella más brillante de todas, de ahí que se le haya asociado con Quetzalcóatl, el dios de la luz y de la sabiduría. Es un astro tan hermoso y fascinante, que también ha seducido a otras culturas, por ejemplo, a la otomana. ¿Recuerdas cómo es la bandera de Turquía?: sobre un fondo rojo aparecen las figuras de una media Luna (símbolo del Islam) y de Venus, lo que representa una conjunción astronómica visible muy pocos días del año.

Representación de la Luna.

LAS OBSERVACIONES ASTRONÓMICAS DE LOS MAYAS BUSCABAN UN FIN ESPECÍFICO, tanto en el terreno de la vida cotidiana como en el de lo sagrado. En este último aspecto, los sacerdotes astrónomos interrogaban al cosmos acerca de si los dioses aprobaban o no las acciones de los hombres.

Observatorio Chichén Itzá. Desde ahí los sacerdotes interrogaban a los dioses sobre la conducta de los hombres.

Lápida de Monte Albán, Oaxaca.

¿CÓMO PODEMOS ESTAR SEGUROS DE QUE EFECTIVAMENTE EXISTÍA UNA RELACIÓN ENTRE LOS ACONTECIMIENTOS ASTRONÓMICOS Y EL MUNDO DE LOS HOMBRES? La respuesta es muy interesante y muestra lo que es posible averiguar gracias a la arqueoastronomía, que utiliza diversas ciencias y herramientas como la arqueología, la astronomía y la computación. Gracias a los arqueólogos, que han sabido descifrar parte de la escritura maya plasmada en estelas, murales y monumentos, sabemos que los mayas registraron acontecimientos clave en su historia y la fecha en que ocurrieron. Ahora bien, los arqueoastrónomos tomaron todas estas fechas y, con programas especiales de cómputo, lograron averiguar la posición de los principales astros en estos lejanos días. Lo que encontraron fue espectacular: muchos de los sucesos importantes coincidían con acontecimientos astronómicos, en especial con los movimientos de Venus.

CUANDO SE PRODUCÍA UN ACONTECIMIENTO EN EL CIELO LOS HOMBRES TAMBIÉN LLEVABAN A CABO UNO EN LA TIERRA. Esto se debe a que los mayas creían que cuando los astros tenían una alineación especial era el momento propicio para interrogarlos, o bien, para alabar a los dioses que representaban. Además, si los mayas tenían el convencimiento de que la tierra y el cielo pertenecían a un mismo orden, era natural que cuando pasaba algo importante en uno de ellos, el otro se viera afectado.

Dentro de esta relación cielo-tierra destaca la influencia de Venus en la historia maya. Al ser uno de los astros más visibles y de mayor importancia religiosa, su ascendiente en el mundo de los hombres fue decisivo. Hoy en día, gracias a los avances de la arqueoastronomía, conocemos un poco más a fondo la relación que hubo entre las estrellas y la suerte de los hombres. En el caso de los mayas, la relación es muy estrecha: un pueblo que supo mirar y leer el cielo no pudo resistir la tentación de formar parte de él. De alguna manera, los mayas alcanzaron su mayor aspiración: pertenecer al orden celeste que descifraron de manera exacta.

Serpiente emplumada.

Glifo con el que se representa a Quetzalcóatl.

LA HUMANIDAD NO CAMBIA TANTO COMO PARECE. Al observar los acontecimientos humanos que los mayas registraban en sus monumentos, nos damos cuenta de que lo que ellos consideraban importante no es muy distinto de lo que para nosotros es significativo: nacimientos de príncipes y princesas, muerte de reyes y gobernantes, inauguración de monumentos, fechas en las que los monarcas accedían al trono, derrota o victoria en batallas importantes y hasta ¡juegos de pelota memorables! Muchos de estos acontecimientos tuvieron lugar en fechas específicas relacionadas con el ciclo de Venus, la estrella de la mañana y del atardecer.

Fragmento de los murales de Bonampak, Chiapas.
Son de los más coloridos e interesantes de Mesoamérica.

EL ASCENSO AL TRONO DE CHAAN MUAN II, SEÑOR DE BONAMPAK, se llevó a cabo el 2 de junio de 776 d. de C., cuando Venus se hallaba alineado con Marte, y es un ejemplo de la relación entre Venus y los hombres. Esto lo sabemos gracias a que la fecha se consigna en la Estela 2 b de Bonampak.

DURANTE SIGLOS, VENUS PARTICIPÓ DESDE EL CIELO EN INNUMERABLES GUERRAS, favoreciendo a los vencedores y dando la espalda a los derrotados. Entre otros ejemplos de guerras que se llevaron a cabo en fechas relacionadas con Venus se pueden mencionar aquellas en las que se enfrentaron Toniná (Chiapas) con Palenque (Chiapas), y Quiriguá (Guatemala) con Copán (Honduras).

QUETZALCÓATL, LA SERPIENTE EMPLUMADA, ES UNO DE LOS DIOSES MÁS IMPORTANTES DEL MÉXICO ANTIGUO. Se trata de un dios que fue venerado por todas las culturas mesoamericanas, desde la más antigua, la olmeca, hasta la más reciente, la mexica. Se trata, también, de un dios que se convirtió en hombre para después volver a ser dios.

LA VERSIÓN QUE MEJOR CONOCEMOS DE ESTE DIOS ES LA DE LOS MEXICAS, quienes creían que Quetzalcóatl era hermano de Huitzilopochtli; y que ambos habían creado el fuego, y junto con él, el Sol. Quetzalcóatl era el dios de la región blanca, del poniente, del Sol más antiguo y sabio. Por este motivo se le asocia con Venus, porque los mexicas creían que era una especie de sol antiguo. Cuando Quetzalcóatl se convirtió en hombre, fue rey, se opuso a los sacrificios humanos y predicó una religión basada en el amor, la sabiduría y la luz. Cuando murió descendió al inframundo, donde, tras nueve días de lucha, ascendió al cielo en forma de estrella de la mañana y estrella de la tarde. Desde entonces, se repite dicho ciclo.

Quetzalcóatl. Distintas representaciones del dios mesoamericano.

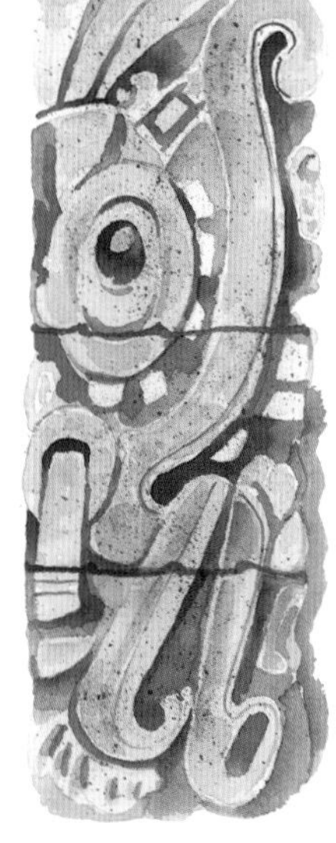

Huitzilopochtli. Hermano de Quetzalcóatl, fue uno de los dioses principales del panteón azteca.

Coyolxauhqui. Hija de Coatlicue y hermana de Huitzilopochtli. Diosa de la Luna en la cultura mexica.

Quetzalcóatl. Para las culturas mesoamericanas el dios de la luz y la sabiduría.

LA HISTORIA DE QUETZALCÓATL ES FASCINANTE por la profecía que dejó tras de sí. Después de gobernar en Tula, fue expulsado por su rival, Tezcatlipoca, el dios de la oscuridad. Antes de partir al exilio, Quetzalcóatl prometió que regresaría a recuperar sus tierras en el año Ce ácatl (1 caña), correspondiente en nuestro calendario a 1519, año en que Cortés llegó a México-Tenochtitlán.

LA SERPIENTE EMPLUMADA NO ERA LA ÚNICA DEIDAD RELACIONADA CON LOS ASTROS. A su hermano, Huitzilopochtli, los mexicas lo asociaban con el Sol. Esta misma cultura consideraba que Coyolxauhqui era la diosa de la Luna.

QUETZALCÓATL FUE VENERADO POR TODOS LOS PUEBLOS MESOAMERICANOS, los cuales siempre le atribuyeron la imagen de una serpiente emplumada y lo asociaron con el planeta Venus. En la zona maya, los invasores toltecas, que a su vez lo habían heredado de Teotihuacán, introdujeron el culto a Quetzalcóatl. Con el tiempo, en la ciudad de Chichén Itzá, se le llegaría a conocer con el hermoso nombre de Kukulkán.

Detalle de la plataforma de Venus. En Teotihuacán, en Chichén Itzá y en muchas otras ciudades prehispánicas es posible hallar templos dedicados a Quetzalcóatl.

El Observatorio y la serpiente danzante de Chichén Itzá

Las ruinas tienen
el color de la arena
Parecen cuevas
ahondadas en montañas
que ya no existen.

De tanta vida que hubo aquí
de tanta
grandeza derrumbada
sólo perduran
las pasajeras flores que no cambian.

José Emilio Pacheco
Fragmento de *Ciudad maya comida por la selva*

¿ALGUNA VEZ HAS VISTO CON ATENCIÓN EL CIELO DE NOCHE? Seguramente sí. Y, por supuesto, lo hiciste desde el lugar que te pareció más adecuado, como la playa, un bosque oscuro o incluso la azotea de tu casa. A los mayas también les gustaba observar el cielo; de hecho, les agradaba tanto que construyeron un edificio diseñado para ello y lo llamaron Observatorio; muchos lo conocen como El Caracol, el cual aún puede admirarse en la ciudad de Chichén Itzá, localizada en el estado de Yucatán.

El Observatorio, como ya te lo habrás imaginado, se llama así porque servía para que los astrónomos mayas contemplaran el cielo. Estos astrónomos, que también eran sacerdotes y formaban parte del gobierno, cuando tenían que anunciar al pueblo algún acontecimiento astronómico, como eclipses de Sol y de Luna, o señalar el inicio o el fin de los ciclos agrícolas o la celebración de alguna festividad religiosa, lo hacían desde el domo del edificio. Así, el Observatorio cumplía tres funciones: la práctica, la religiosa y la social, que eran, a grandes rasgos, las mismas que cumplía la astronomía en la sociedad maya.

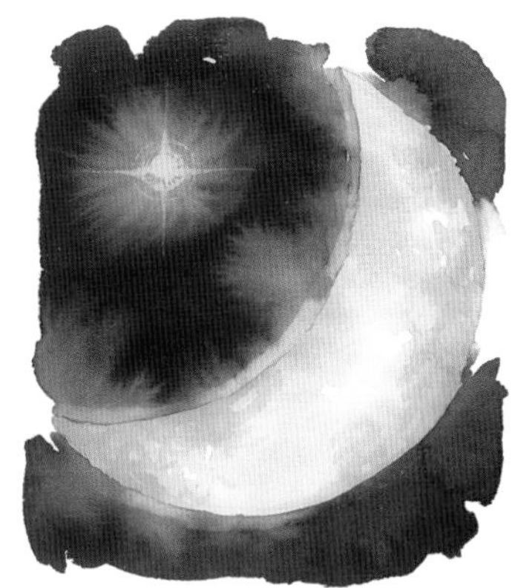

LA CONSTRUCCIÓN DEL OBSERVATORIO TUVO LUGAR EN UN PERIODO DE PLENO AUGE DE CHICHÉN ITZÁ, conocido como Clásico y que va del 750 al 900 d. de C. Entonces la cultura maya había llegado a la cúspide y podía fomentar el estudio de las ciencias, entre las que se incluía la astronomía. Una sociedad que ha satisfecho sus necesidades básicas y que ha desarrollado un complejo sistema cultural puede darse el lujo de dedicar importantes recursos, tanto económicos como humanos, para el estudio de la naturaleza.

El Caracol. No deja de sorprender la similitud arquitectónica entre los observatorios modernos y El Observatorio de Chichén Itzá.

PERO ¿QUÉ TENÍAN QUE VER LOS CICLOS AGRÍCOLAS Y LAS FESTIVIDADES RELIGIOSAS CON LOS MOVIMIENTOS DE LAS ESTRELLAS? Mucho, todos eran acontecimientos muy relacionados. Los mayas aprendieron a leer los astros con sólo observarlos, y sabían cuándo se avecinaba la época de secas o de lluvias, o bien, cuándo había llegado la fecha en que se debía celebrar determinada ceremonia. El vínculo entre la astronomía, la agricultura y la religión era tan estrecho que los arquitectos mayas decidieron decorar las paredes del Caracol con máscaras que representan a Chac, el dios de la lluvia.

¿RECUERDAS QUE AL OBSERVATORIO TAMBIÉN SE LE CONOCE COMO EL CARACOL? Este segundo nombre se lo dieron los conquistadores españoles cuando vieron la escalera en forma de caracol que comunica los tres niveles del edificio.

Máscara mexica. Representación de Quetzalcóatl.

AL MIRAR EL OBSERVATORIO, TE DARÁS CUENTA DE QUE SU ARQUITECTURA ESTÁ PLANEADA PARA QUE EL ESPECTADOR LEVANTE LA VISTA Y CONTEMPLE LAS ESTRELLAS. De hecho, observatorios modernos, como el de Palomar, en el estado de California, en Estados Unidos, guardan con aquél cierta semejanza en su diseño. Los mayas fueron tan cuidadosos al construir El Caracol, que toda su estructura está planeada en función de la astronomía. Las cuatro puertas del edificio están orientadas hacia los cuatro puntos cardinales. Y, por si esto fuera poco, las ventanas están alineadas de tal forma que coinciden con la aparición de ciertas estrellas en fechas específicas.

EL ESTUDIO DE LA ASTRONOMÍA ENCONTRÓ NUEVAS APLICACIONES PRÁCTICAS DOSCIENTOS AÑOS DESPUÉS, ALREDEDOR DEL 1150 D. DE C., en la reconstrucción del Castillo o pirámide de Kukulkán, en la misma ciudad maya. Si miras con atención esta enorme pirámide de 25 metros de altura, te darás cuenta de que es muy diferente al resto de las pirámides prehispánicas. En primer lugar, además de servir como un monumento religioso, es una representación astronómica. Sí: la pirámide también es un enorme calendario de piedra.

ESTOS JUEGOS NUMÉRICOS NO SON EL ÚNICO ELEMENTO ASTRONÓMICO DEL CASTILLO. Durante los equinoccios de primavera y de otoño (21 de marzo y 21 de septiembre), un juego de luz y de sombra provoca la ilusión de una serpiente que repta por los lados de la escalinata norte de la pirámide. Los equinoccios son los únicos días del año en que la duración del día y de la noche es exactamente la misma, puesto que el Sol está alineado con el ecuador.

El Castillo o Pirámide de Kukulkán. Es un asombroso calendario solar que marca los días del año, así como los equinoccios de primavera y otoño. Tiene 28 metros de altura y 91 escalones.

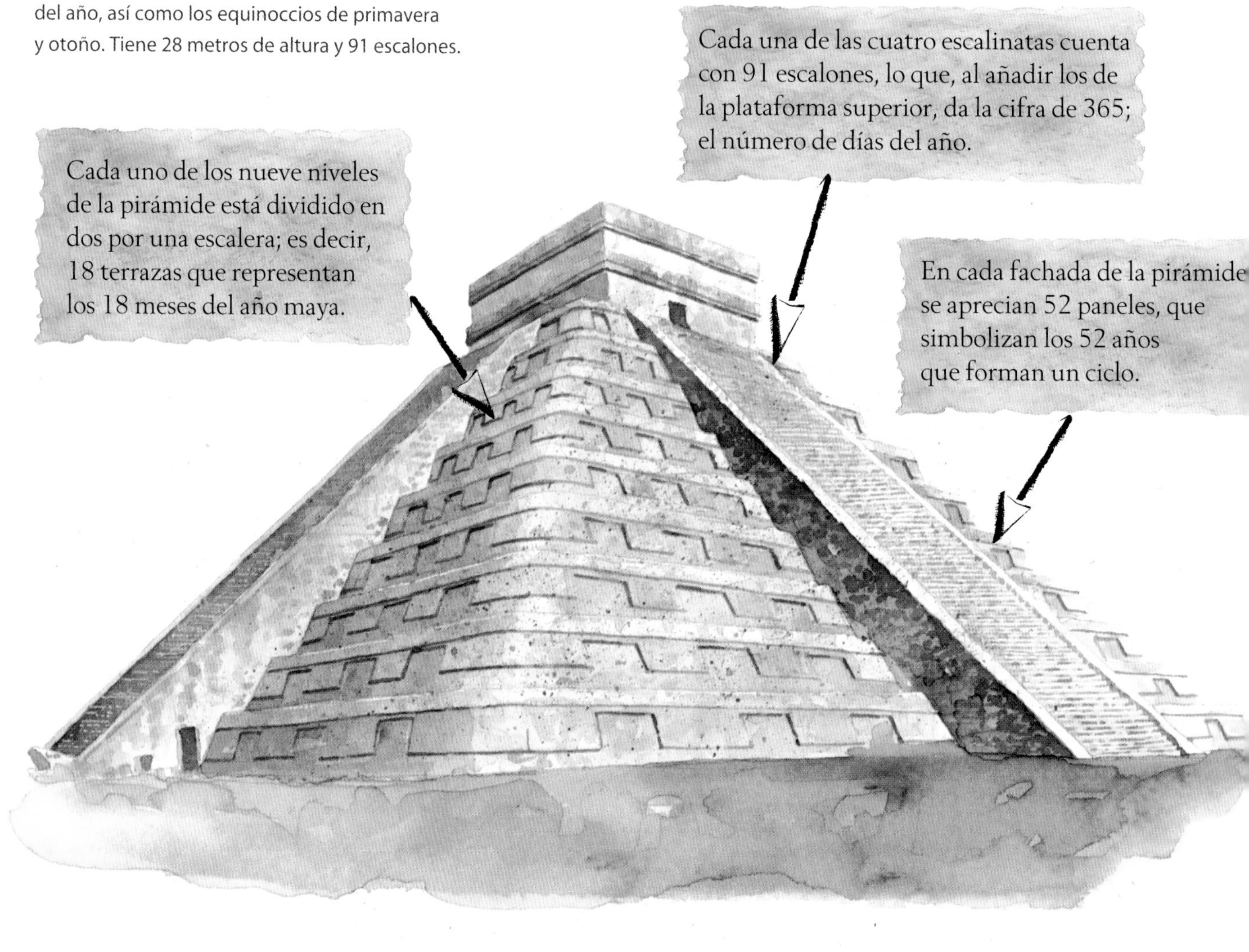

Cada una de las cuatro escalinatas cuenta con 91 escalones, lo que, al añadir los de la plataforma superior, da la cifra de 365; el número de días del año.

Cada uno de los nueve niveles de la pirámide está dividido en dos por una escalera; es decir, 18 terrazas que representan los 18 meses del año maya.

En cada fachada de la pirámide se aprecian 52 paneles, que simbolizan los 52 años que forman un ciclo.

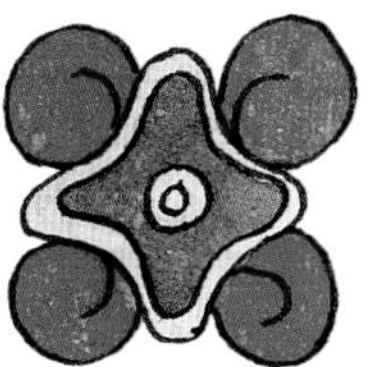

EL JUEGO DE LUZ Y DE SOMBRA DE LA PIRÁMIDE TAMBIÉN ESTABA LIGADO A LA RELIGIÓN. La serpiente que aparece es en realidad la serpiente emplumada, conocida en Chichén Itzá como Kukulkán, y en Tula, cultura que la heredó a los mayas, como Quetzalcóatl. ¿Por qué celebrar los equinoccios con la aparición de Kukulkán? La verdadera respuesta nadie la conoce, pero una buena hipótesis es que los mayas veían en este acontecimiento astronómico un momento de perfecto equilibrio en el universo, lo que se reflejaba también en un instante de armonía entre el mundo, el cielo y el inframundo. La serpiente emplumada representa la unión entre estas tres dimensiones. Este reptil que se arrastra es por excelencia el símbolo de la tierra, pero gracias a las plumas adquiere los atributos celestes y, además, al representar a Quetzalcóatl, también está relacionado con el inframundo, pues Quetzalcóatl logró descender al inframundo y regresar a salvo (véase pág. 48). Algunas veces sucede que las creaciones de los hombres perduran más allá de ellos mismos y de las civilizaciones a las que pertenecieron. De esta forma, las culturas no mueren del todo. Un buen ejemplo de ello es Kukulkán, que sin falta visita la antigua ciudad de Chichén Itzá durante los días de los equinoccios.

PARA LOGRAR EL EFECTO DE LA SERPIENTE QUE SE DESLIZA SOBRE LA ESCALINATA, los mayas tuvieron que calcular con una exactitud matemática la orientación de la pirámide y prever sin falla alguna el momento del equinoccio. Los resultados fueron tan perfectos que, a la fecha, el milagro se repite cada equinoccio.

Atlante de Tula. Ésta es una de las esculturas monumentales que han generado diversas especulaciones y son los emblemas de la civilización tolteca, que conquistó a la maya.

Escalinata con Quetzalcóatl. El mejor ejemplo de la relación entre arquitectura y astronomía lo constituye la escalinata de El Castillo que, durante dos días al año, se convierte en una serpiente que baja del cielo a la tierra.

LA ESTRUCTURA CONOCIDA COMO PLATAFORMA DE VENUS NO ES UNO DE LOS EDIFICIOS MÁS ESPECTACULARES DE LA CIUDAD DE CHICHÉN ITZÁ, pero resulta fascinante por dos motivos. Primero, porque en su interior se encontró la que quizás es la escultura más famosa de todas las culturas prehispánicas: el Chac Mool. Segundo, debido a que el edificio está adornado con relieves que asocian a Kukulkán con el planeta Venus, la estrella del amanecer, y confirma la íntima relación que existía entre los astros y las deidades mesoamericanas. Venus está representado mediante serpientes y monstruos emplumados con garras de tigre. Se cree que la estructura fue utilizada para practicar rituales y ceremonias religiosas en honor a Kukulkán.

LAS VISITAS QUE REALIZARON EL ESCRITOR ESTADOUNIDENSE JOHN L. STEPHENS Y EL DIBUJANTE DE LA MISMA NACIONALIDAD FREDERICK CATHERWOOD A LA ZONA MAYA, EN 1839 Y 1841, son de suma importancia para el estudio de la antigüedad de esta cultura, ya que proclamaron por primera vez la originalidad y autonomía de una civilización mesoamericana. Hasta entonces, todos los eruditos se habían explicado la cultura maya como una copia de otras culturas antiguas como la egipcia o la mesopotámica. Stephens y Catherwood hallaron muchas respuestas, pero como buenos investigadores y arqueólogos encontraron muchas más interrogantes, como la que se refiere al Observatorio o Caracol de Chichén Itzá, del que Stephens, después de describir en detalle su arquitectura, dice: "Nuevo era ciertamente el plan de este edificio; pero, en vez de contribuir a esclarecer los secretos desconocidos hasta hoy, no vino a servir sino para difundir nuevos misterios acerca de estas antiguas y extrañas estructuras". El misterio sigue en pie, pues aunque se sospecha que El Caracol servía como observatorio astronómico, nadie ha podido demostrar con certeza su función.

El observatorio de Palenque. No se ha podido demostrar que en realidad se trataba de un observatorio y no de una simple torre.

LOS MAYAS CONTABAN CON MEDIOS SUMAMENTE RUDIMENTARIOS PARA SUS ESTUDIOS ASTRONÓMICOS. De hecho, los conocimientos que adquirieron se basaron más en una observación detenida realizada a través de los siglos que en un desarrollo tecnológico. El primero de sus instrumentos astronómicos consistía sólo en un palo clavado en un sitio determinado, el cual servía para señalar la hora en que el Sol pasaba por el cenit. Un conjunto de varillas o de hilos cruzados, que representaban la posición de los astros en un momento determinado y que servía para contrastarlo cuando los astros se hubieran trasladado, era otro de sus instrumentos. Al comparar estos dispositivos con los de otras culturas antiguas, y sobre todo con los medios tecnológicos de que disponemos hoy, resulta sorprendente la exactitud de los cálculos astronómicos mayas, fundados únicamente en la observación y la especulación.

AUNQUE SON MUY POCOS LOS EDIFICIOS PREHISPÁNICOS QUE SE ASEMEJAN AL OBSERVATORIO EL CARACOL, uno de ellos está directamente inspirado en él; se trata del Observatorio de Mayapán, ciudad que fue construida después de Chichén Itzá y que la sustituyó como capital política de la región. Otra estructura que podría emparentarse con ambos observatorios es el Palacio de Palenque, aunque se especula que éste, además de observatorio, habría servido como morada de la monarquía que reinaba en la ciudad.

Observatorio de Mayapán. Al decaer Chichén Itzá, Mayapán surgió, en 1250 y hasta 1450, como la capital de los mayas; allí, destaca el Observatorio, que fue construido como una imitación del de Chichén Itzá.

EL JUEGO DE PELOTA

Ave ligera de las ruinas mayas,
donde quiera que estés, a donde vayas
recordarás tu vieja casa oscura.

Y volverás tal vez a tu pasado
a vivir en un mundo que olvidado
muestra su soberana arquitectura.

Neftalí Beltrán
Fragmento de *En Uxmal y en Chichén...*

EL SURGIMIENTO DEL JUEGO DE PELOTA SE REMONTA AL ORIGEN MISMO DE MESOAMÉRICA COMO ÁREA CULTURAL y, de hecho, la práctica de éste es uno de los rasgos que emparientan a los diferentes pueblos de la región. En todas las ciudades del área se practicó este juego, que aún se encontraba en su apogeo cuando llegaron los españoles, que al presenciarlo, quedaron sorprendidos e intrigados. Algunos arqueólogos consideran que el juego empezó a tener importancia desde tiempos tan remotos como el 2000 a. de C.

El juego cumplía muchas funciones a la vez. Era, sí, al igual que los deportes modernos, una forma de diversión tanto para los jugadores como para los espectadores. Pero también se encontraba relacionado con la religión y con algunas creencias mitológicas de las diferentes culturas que lo practicaron.

Además, el juego tenía un simbolismo astronómico sin el cual no puede entenderse la importancia que los antiguos mexicanos le otorgaban. En el fondo, el juego era una representación del movimiento del cosmos. La cancha se convertía en un pequeño universo a través del cual circulaban los astros, resumidos en una pelota de hule.

LA CANCHA DONDE SE LLEVABA A CABO EL JUEGO era un espacio sagrado en el que se enfrentaban las fuerzas de la luz contra las de la oscuridad, al igual que sucedía todo el tiempo en el universo. Este enfrentamiento era necesario para mantener el movimiento del Sol en el cielo. De esta forma, la práctica del juego era necesaria para representar y también para impulsar el equilibrio cósmico.

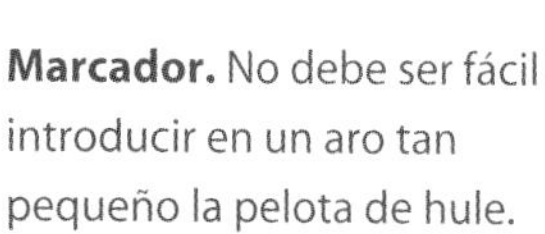

Marcador. No debe ser fácil introducir en un aro tan pequeño la pelota de hule.

Jugador de pelota.

LA CANCHA MÁS ANTIGUA QUE HA SIDO HALLADA SE LOCALIZA EN LAS RUINAS OLMECAS DE LA VENTA, en el estado de Tabasco. Se calcula que la ciudad vivió su esplendor en el año 500 a. de C. Se cree que los olmecas fueron los creadores del juego de pelota, lo que no sería extraño, pues no hay que olvidar que la palabra "olmeca" significa "la gente de la región del hule", material con que se elaboraban las pelotas del juego.

TODA LA REGIÓN MESOAMERICANA SE ENCONTRABA CUBIERTA POR CANCHAS DE JUEGO DE PELOTA, hasta las ciudades mayas de Honduras y El Salvador. Por su tamaño o número destacan las canchas de Chichén Itzá, Copán y Kaminaljuyú, en el área maya; de Xochicalco, Tenochtitlán y Tula, en el centro de México; de El Tajín, en el Golfo; de Monte Albán y Yagul, en el área mixteco-zapoteca, y casos aislados en Casas Grandes, Nayarit y Arizona, al norte y occidente de Mesomérica.

Cancha de juego de pelota. En Mesoamérica han sido localizadas más de 1 500 canchas de juego de pelota.

EL JUEGO DE PELOTA ERA, de hecho, una ceremonia mediante la cual los jugadores trataban de asegurar la continuidad del ciclo de las estaciones, el resurgimiento de la vegetación, el nacimiento del Sol cada mañana y, sobre todo, la permanencia del hombre en el mundo.

Pelota. Estaba hecha de hule, pesaba alrededor de cuatro kilos y tenía de 15 a 30 cm de diámetro.

EN LA CIUDAD DE CANTONA, en el actual estado de Puebla, se han encontrado restos de 26 canchas de juego de pelota, lo que la convierte en el sitio conocido con mayor número de este tipo de construcciones.

RESULTA SORPRENDENTE QUE DURANTE AL MENOS DOS MIL AÑOS se hayan construido canchas de pelota con un criterio arquitectónico muy similar y con los mismos elementos: una cancha en forma de I, con un patio central rectangular, en el que se situaban los rivales, y que une dos cabezales, también rectangulares y perpendiculares al patio central. Marcaban los límites del patio las estructuras de piedra o plataformas laterales, donde se colocaban los marcadores que debían ser golpeados por la pelota y que eran de varios tipos: altares, estelas, cabezas, lápidas y anillos.

HABÍA DOS FORMAS DE JUGAR A LA PELOTA. En ambas los jugadores sólo podían utilizar la cadera, los codos y las rodillas. En la más extendida el objetivo del juego era introducir la pelota a través de unos anillos, lo cual era realmente difícil pues la apertura de los diámetros no era mucho mayor que el diámetro de la pelota. El juego concluía cuando uno de los dos equipos introducía la pelota en el aro.

En la segunda modalidad era mucho más sencillo marcar puntos pues la pelota sólo debía rebotar en el objetivo, que era una estela o un altar. El juego concluía cuando alguno de los equipos alcanzaba el puntaje que previamente había sido convenido. Esta variante sólo se llevó a cabo en el área zapoteca y en algunas ciudades mayas. Se cree que la mayoría de las veces en el juego se enfrentaban dos equipos compuestos cada uno por dos jugadores. No obstante, algunas veces sólo se enfrentaban dos jugadores.

Carlos V. El monarca Carlos I de España y V de Alemania.

SI LAS REGLAS PARECEN COMPLICADAS, AHORA IMAGINA JUGAR CON UNA PELOTA DE HULE MUY DURO, que pesaba entre tres y cuatro kilos y que llegaba a medir hasta treinta centímetros de diametro. La elasticidad de los jugadores era tan grande que el cronista Toribio de Benavente, conocido como Motolinía, escribió que "corren y saltan tanto que parece traen azogue dentro de sí".

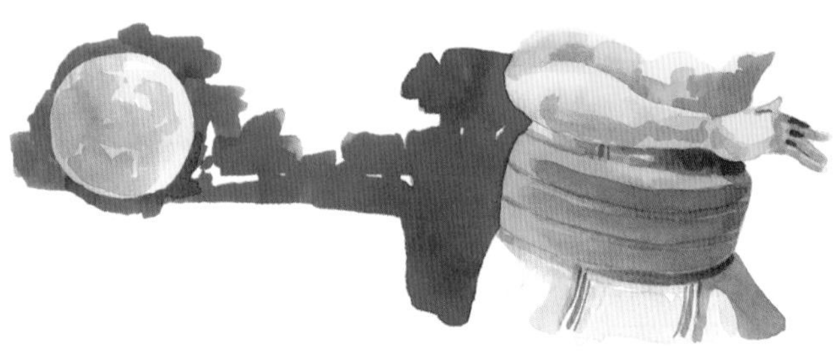

Jugador de pelota. Golpeaba la pelota con la cadera, los codos y las rodillas.

A LOS ENCUENTROS DE JUEGO DE PELOTA ACUDÍAN TANTO LOS SACERDOTES y nobles como el pueblo en general, pues además del significado religioso, el juego era una forma de diversión y un espectáculo para todos.

LOS ESPAÑOLES QUEDARON TAN SORPRENDIDOS ANTE EL ESPECTÁCULO DEL JUEGO DE PELOTA QUE HERNÁN CORTÉS llevó a España a un grupo de jugadores. En 1528 la corte de Carlos V presenció un juego y quedó maravillada por la agilidad y fuerza de los jugadores. Sin embargo, nunca sospecharon que lo que observaban en realidad era una representación del movimiento del Sol en el firmamento.

CON LA LLEGADA DE LOS ESPAÑOLES INICIÓ LA DESAPARICIÓN DEL JUEGO DE PELOTA. Los conquistadores mandaron destruir las canchas y prohibieron la práctica del juego, pues consideraban, con razón, que éste se trataba en realidad de una ceremonia que iba en contra de la religión que deseaban imponer a toda costa. A pesar de los esfuerzos emprendidos por los conquistadores, el juego de pelota logró permanecer, si bien con grandes modificaciones. De hecho, aunque parezca increíble, grupos indígenas de los estados de Nayarit, Sinaloa y Sonora aún practican algunas variantes del juego.

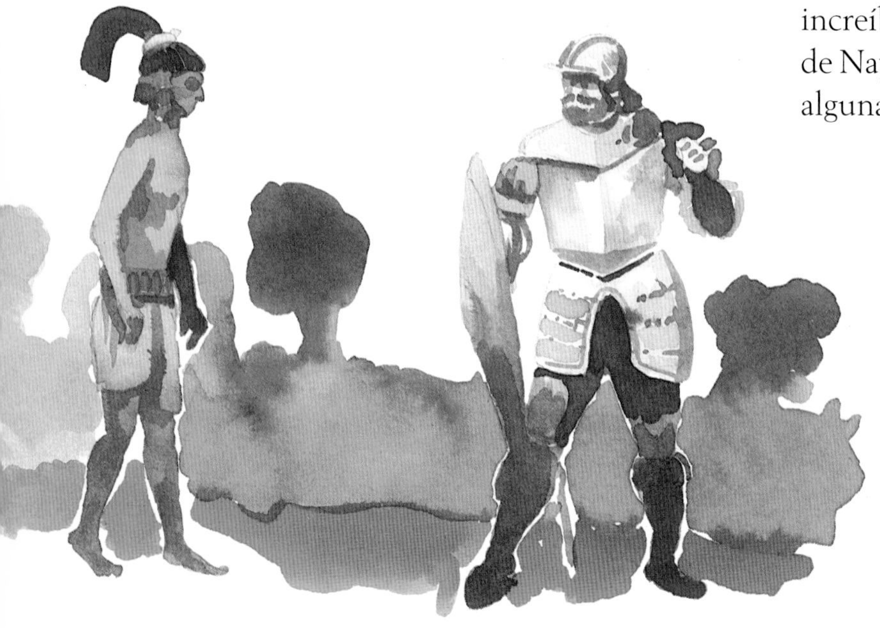

Español e indígena. La llegada de los españoles supuso el fin del México prehispánico; no obstante, el juego de pelota sobrevivió e incluso hoy en día es posible apreciar algunos remanentes de éste.

FRAY DIEGO DURÁN FUE UNO DE LOS CRONISTAS ESPAÑOLES QUE MAYOR ATENCIÓN PRESTÓ AL JUEGO DE PELOTA. En una descripción de su obra *Historia de las Indias de la Nueva España e islas de Tierra Firme* nos cuenta que:

Había quien la jugase con tanta destreza y maña que en una hora acontecía no parar la pelota de un cabo a otro sin hacer falta ninguna, sólo con las asentaderas, sin que pudiese llegar a ello con mano ni pie, ni con pantorrilla, ni brazo, estando tan sobreaviso así los de una parte como los de la otra para no dejalla parar que era cosa maravillosa... y había con el ejercicio tan diestros excelentes jugadores que además de ser tenidos en estima los reyes les hacían mercedes y los hacían privados en su casa y corte y eran honrados con particulares insignias.

Figura de jugador. Como los futbolistas actuales, los jugadores prehispánicos eran personajes reconocidos en su sociedad.

EN LA CULTURA MEXICA UN NUEVO ELEMENTO SE AGREGÓ AL JUEGO: las apuestas. Todo el mundo apostaba; los jugadores, los organizadores, los espectadores... Los nobles apostaban joyas y bienes mientras que la gente más pobre mazorcas de maíz y magueyes. El vicio llegó a tal punto que en un juego dos señores mexicas, Axayácatl y Xihuiltémoc, pactaron una apuesta espectacular: el primero prometió el mercado y la laguna de Tenochtitlán y el segundo los jardines de Xochimilco. Como era de esperarse, la apuesta terminó en un enfrentamiento armado. Los jugadores eran unos apostadores empedernidos que no dudaban en poner en riesgo sus casas, mujeres, hijos, joyas e incluso a ellos mismos, pues si no podían pagar la suma pactada en la apuesta, eran vendidos como esclavos y con el dinero obtenido se saldaba la deuda.

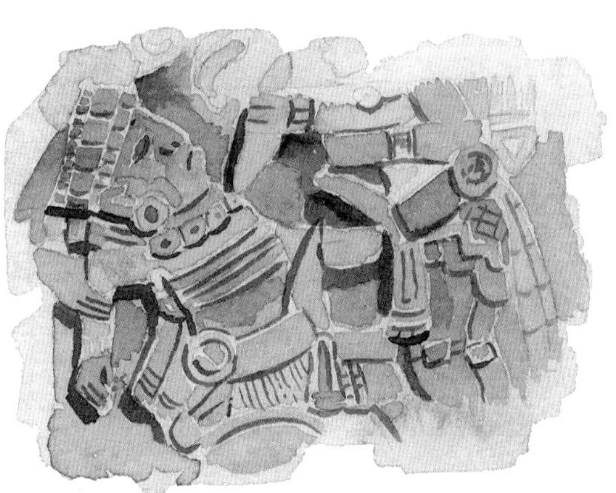

Detalle del relieve de un sacrificio. En algunas culturas mesoamericanas al jugador de pelota se le sacrificaba después del juego.

ALGUNAS VECES, SÓLO CUANDO EL JUEGO CONSTITUÍA UNA CEREMONIA ESPECIAL, los jugadores eran sacrificados. Se ignora si se sacrificaba a los ganadores o a los perdedores. En todo caso, los ganadores eran muy respetados y, según cuenta el cronista fray Diego Durán, "se les honraba como al hombre que en combate particular de tantos a tantos hubiera vencido y dado fin a la contienda... le cantaban y bailaban con él un rato...".

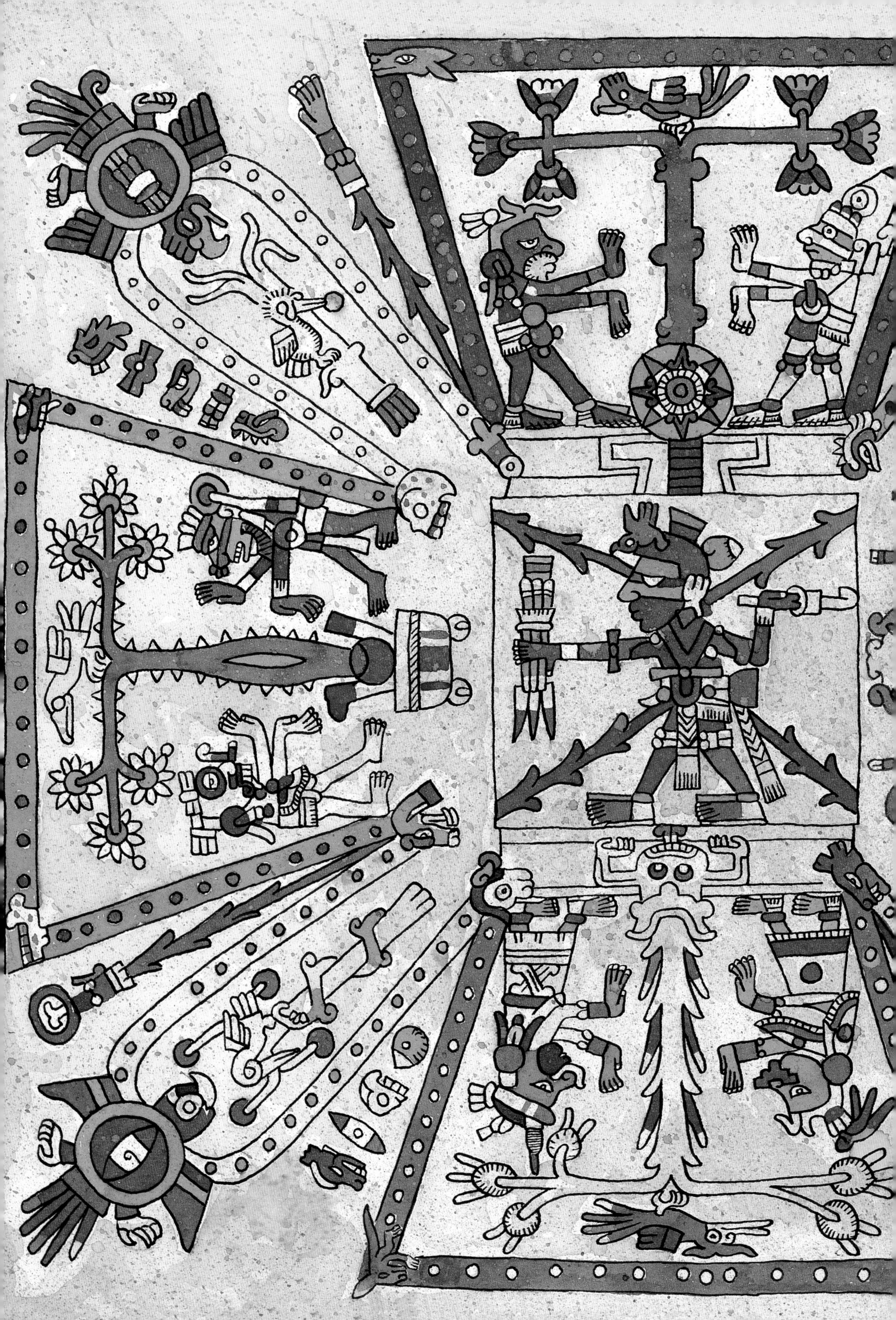

El tiempo cíclico: el fin es el principio

Calcularon el tiempo
con precisión numérica.
Dieron de beber oro líquido
a sus conquistadores,
y entendieron el cielo
como una flor pequeña.

Roberto Sosa
Fragmento de *Los indios*

LA OBSESIÓN DEL HOMBRE MESOAMERICANO POR LA ASTRONOMÍA NO TARDÓ EN DESEMBOCAR EN UNA NUEVA PREOCUPACIÓN: el tiempo. La aplicación lógica y el recurso básico de la astronomía es la medición del tiempo. De hecho, la medición de éste siempre ha estado relacionada con los astros, incluso en nuestro mundo. Si no lo crees, recuerda que todas las mediciones temporales que utilizamos diariamente en el fondo se basan en el movimiento del Sol: los siglos, los años, los meses, los días, las horas, los minutos, etcétera.

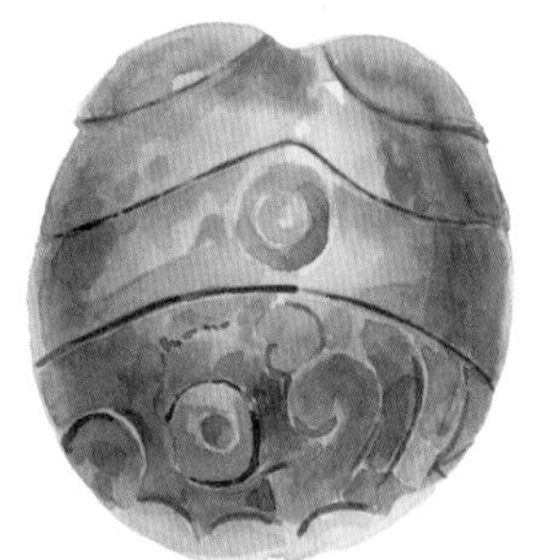

Corazón. Se ofrendaban corazones a los dioses para garantizar los ciclos de la vida.

El concepto que todas las culturas prehispánicas tenían del tiempo era sumamente complejo. Quizá el más extendido era el del tiempo cíclico. Los mayas y los aztecas creían que todo lo que pasaba, tarde o temprano se repetía. En el fondo no existía el pasado, el presente y el futuro; simplemente todos eran un mismo tiempo que tardaba muchísimo en suceder.

LA CONCEPCIÓN CÍCLICA DEL TIEMPO TE PUEDE PARECER EXTRAÑA, pero si piensas un poco en ella, verás que no lo es tanto. Todo el mundo está marcado por ciclos que se repiten una y otra vez. Lo que sucede en la tierra y el cielo, que tan bien supieron descifrar los mesoamericanos, se basa en ciclos: el de la agricultura, el clima y el movimiento de los astros. Si todo el mundo y el universo está organizado en ciclos, ¿por qué el tiempo habría de funcionar de una manera diferente?

AL CONCEBIR EL TIEMPO COMO UN CONTINUO CICLO, EL MUNDO APARECE RENOVADO CADA MAÑANA: cada día es el primer día; cada noche la primera noche y cada hombre el primer hombre. El mundo no ha sido creado, siempre está creándose. Las historias y leyendas de los dioses no son historias que sucedieron hace mucho tiempo, sino que ocurren continuamente. Siempre que Venus asciende por el firmamento se trata de Quetzalcóatl, quien acaba de escapar del inframundo.

Detalle del Templo de los Jaguares. Los elementos decorativos que predominan en algunos edificios de Chichén Itzá son jaguares, águilas y Quetzalcóatl, representando a Venus.

LOS MESOAMERICANOS CREÍAN QUE EL TIEMPO ERA CÍCLICO, pero dentro de cada ciclo acontecían muchas cosas, de la misma forma en que todos los días son iguales pero a la vez diferentes. De hecho, podría afirmarse que dentro de la gran concepción cíclica del tiempo sagrado existía también el tiempo lineal, en el que se desarrollaba la vida de los hombres.

Es en esta esfera en la que se podía hablar de un pasado, un presente y un futuro. En este caso, el tiempo era una materia finita y fugaz, en la que se resumía el paso del hombre por la Tierra. Después de ésta sólo quedaba la eternidad.

La Piedra del Sol. Formada por cinco círculos, tiene al centro a Tonatiuh, dios del Sol.

Quinto círculo. Dos serpientes de fuego abriendo las fauces, de las cuales surgen los perfiles de dos deidades.

Primer círculo. Representación de los cinco soles que generaron el mundo.

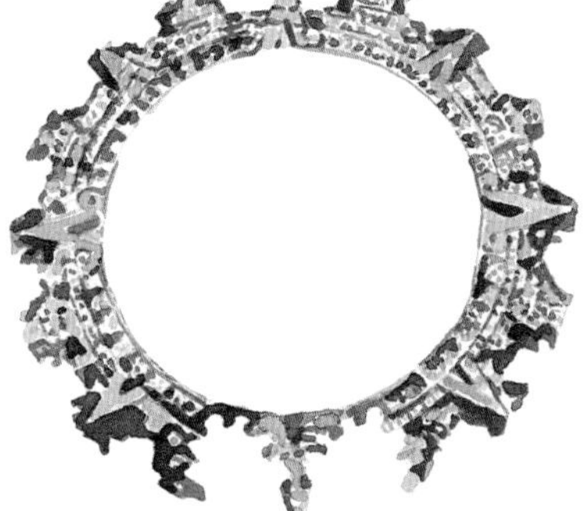

Tercer y cuarto círculos. Representan al universo. El primero, al Sol que abarca los cuatro puntos cardinales. El segundo, cuatro púas sagradas en medio de sus ocho remates e hileras de plumas de águila.

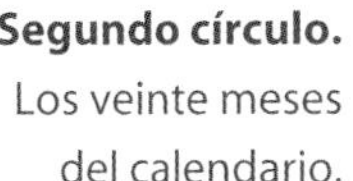

Segundo círculo. Los veinte meses del calendario.

DENTRO DE LA CONCEPCIÓN CÍCLICA DEL TIEMPO DESTACA LA CEREMONIA DEL FUEGO NUEVO, celebrada por todas las culturas mesoamericanas, en especial por la mexica. Los mexicas creían que cada 52 años todo debía renovarse, pues es precisamente este espacio de tiempo el que tardan los dos calendarios (el astronómico de 365 días y el religioso de 260 días) en volver a coincidir. Existía el riesgo, el gran riesgo, de que al final de un periodo de 52 años el mundo llegara a su fin, el Sol ya no se alzara en el horizonte y la Tierra volviera a ser como lo fue en un principio: un lugar frío, oscuro y sin vida. Sin embargo, si el Sol volvía a brillar, había que celebrar, y el mejor modo de hacerlo era recomenzar todo. Por este motivo se construían nuevas pirámides sobre las ya existentes, se tumbaban las casas y se levantaban nuevas edificaciones y todos los hombres volvían a nacer, sin importar su edad, de la misma forma como el mundo había vuelto a nacer.

Representación del Sol.

EL TIEMPO Y SU CONTROL LLEGARON A SER MUY IMPORTANTES PARA LOS MEXICAS. Es más, la actitud que se tenía hacia el tiempo marcaba una diferencia en los diversos estratos de la sociedad. Parte del poderío de los sacerdotes y los nobles residía en que eran ellos los que controlaban el acceso al pasado y guardaban la memoria histórica. Como podían leer los códices, descifrar las inscripciones, escribir y dejar constancia de su paso por el mundo tenían supremacía sobre el pueblo en general.

Tezcatlipoca. El culto a este dios característico de la cultura mexica, estaba estrechamente vinculado con la muerte.

EL POEMA MÁS FAMOSO DE LA LÍRICA NÁHUATL TAMBIÉN TRATA EL TEMA DE LA FUGACIDAD DEL SER HUMANO. El poema es obra de Tochihuitzin (siglo XV), y en él compara la magia y la brevedad de la vida con un sueño, bello pero casi inexistente.

Vinimos a soñar
Así lo dijo Tochihuitzin.
Así lo dijo Coyolchiuhqui:
De pronto salimos del sueño,
sólo vinimos a soñar,
no es cierto, no es cierto
que vinimos a vivir sobre la tierra.
Como yerba en primavera
es nuestro ser.
Nuestro corazón hace nacer, germinan
flores de nuestra carne.
Algunas abren sus corolas,
luego se secan.
Así lo dijo Tochihuitzin.

QUE EL TIEMPO FUERA CÍCLICO NO SIGNIFICABA QUE LOS HOMBRES NO SE ANGUSTIARAN POR LA FUGACIDAD DE LA VIDA. De hecho, gran parte de la poesía náhuatl está dedicada a este tema. No deja de resultar sorprendente que en una sociedad tan profundamente religiosa como la mexica los poetas hayan reclamado a los dioses la brevedad de la vida.

Dentro de la poesía náhuatl destaca la figura de Netzahualcóyotl (1402-1472), quien escribió los siguientes versos:

Yo Netzahualcóyotl lo pregunto
Yo Netzahualcóyotl lo pregunto:
¿Acaso de veras se vive con raíz en la tierra?
No para siempre en la tierra:
sólo un poco aquí.
Aunque sea de jade se quiebra,
aunque sea de oro se rompe,
aunque sea plumaje de quetzal se desgarra.
No para siempre en la tierra:
sólo un poco aquí.
Estoy embriagado.
Estoy embriagado, lloro, me aflijo,
pienso, digo,
en mi interior lo encuentro:
si yo nunca muriera,
si nunca desapareciera.
Allá donde no hay muerte,
allá donde ella es conquistada,
que allá vaya yo.
Si yo nunca muriera,
si nunca desapareciera.

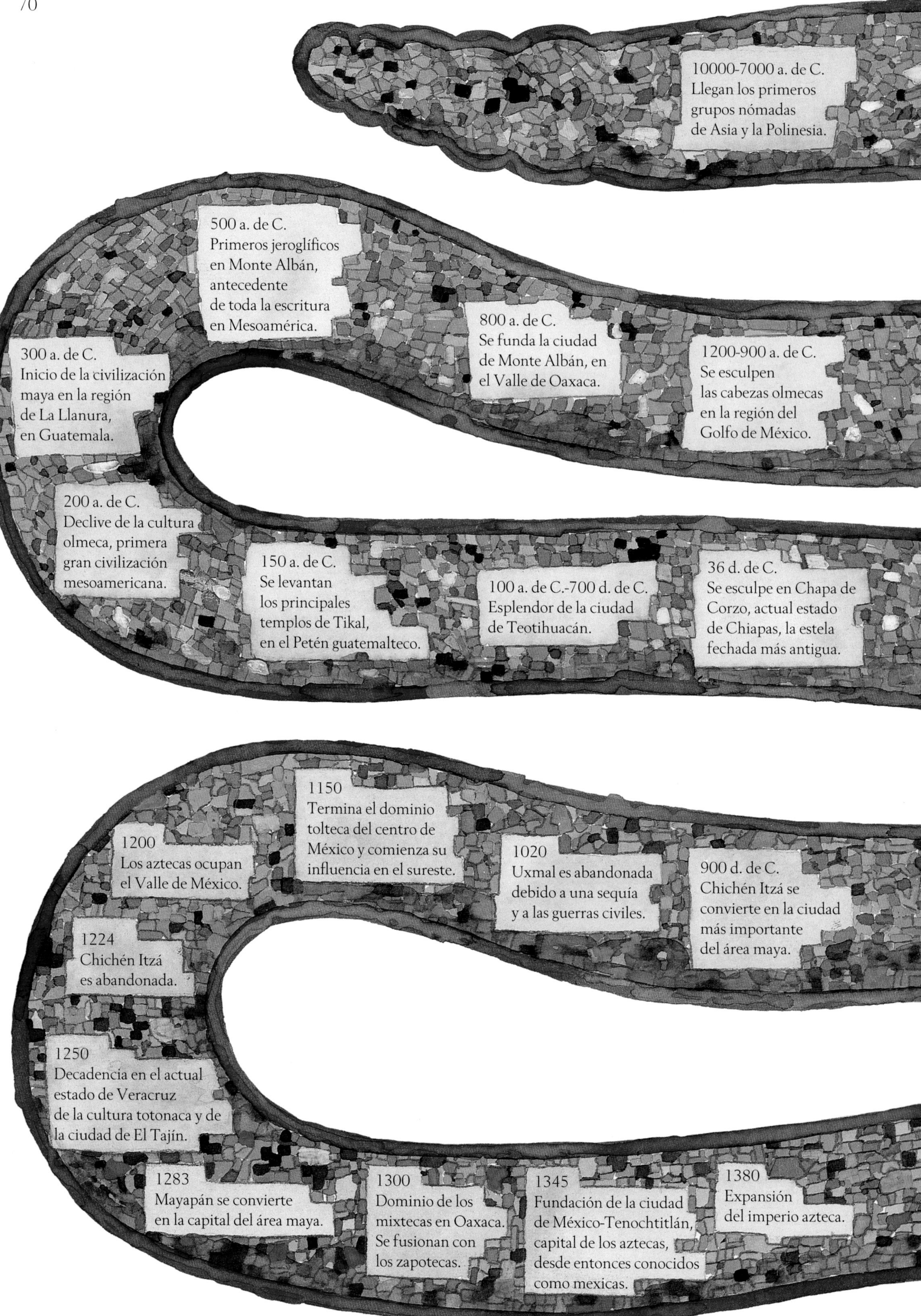
10000-7000 a. de C.
Llegan los primeros grupos nómadas de Asia y la Polinesia.
1200-900 a. de C.
Se esculpen las cabezas olmecas en la región del Golfo de México.
800 a. de C.
Se funda la ciudad de Monte Albán, en el Valle de Oaxaca.
500 a. de C.
Primeros jeroglíficos en Monte Albán, antecedente de toda la escritura en Mesoamérica.
300 a. de C.
Inicio de la civilización maya en la región de La Llanura, en Guatemala.
200 a. de C.
Declive de la cultura olmeca, primera gran civilización mesoamericana.
150 a. de C.
Se levantan los principales templos de Tikal, en el Petén guatemalteco.
100 a. de C.-700 d. de C.
Esplendor de la ciudad de Teotihuacán.
36 d. de C.
Se esculpe en Chapa de Corzo, actual estado de Chiapas, la estela fechada más antigua.
900 d. de C.
Chichén Itzá se convierte en la ciudad más importante del área maya.
1020
Uxmal es abandonada debido a una sequía y a las guerras civiles.
1150
Termina el dominio tolteca del centro de México y comienza su influencia en el sureste.
1200
Los aztecas ocupan el Valle de México.
1224
Chichén Itzá es abandonada.
1250
Decadencia en el actual estado de Veracruz de la cultura totonaca y de la ciudad de El Tajín.
1283
Mayapán se convierte en la capital del área maya.
1300
Dominio de los mixtecas en Oaxaca. Se fusionan con los zapotecas.
1345
Fundación de la ciudad de México-Tenochtitlán, capital de los aztecas, desde entonces conocidos como mexicas.
1380
Expansión del imperio azteca.

Línea del tiempo

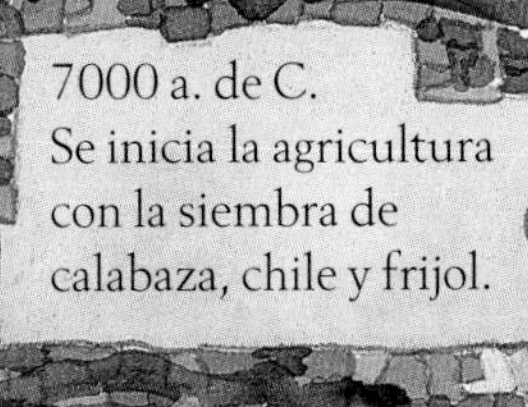

7000 a. de C.
Se inicia la agricultura con la siembra de calabaza, chile y frijol.

5000 a. de C.
Comienza el cultivo del maíz en el valle de Tehuacán, Puebla (México).

2300 a. de C.
Se elaboran las primeras piezas de cerámica en Mesoamérica.

1700 a. de C.
Se establecen los primeros poblados agrícolas en el actual estado de Oaxaca, México.

150 d. de C.
Se construyen las pirámides del Sol y de la Luna en Teotihuacán.

300 d. de C.
La ciudad de Cuicuilco es devastada por una erupción volcánica.

300-900 d. de C.
Periodo clásico de la civilización maya.

650 d. de C.
La ciudad de Copán, en Honduras, adquiere importancia.

700 d. de C.
Apogeo de Tikal, la más importante de las ciudades mayas descubiertas hasta la fecha.

750 d. de C.
La ciudad de Teotihuacán es abandonada.

800 d. de C.
Tula se erige como la capital de los toltecas.

800-1000 d. de C.
La ciudad de Uxmal alcanza su esplendor.

1434
Se forma la triple alianza, compuesta por Tenochtitlán, Texcoco y Tlacopan.

1519
Arribo de Hernán Cortés a Tenochtitlán.

1521
Caída de México-Tenochtitlán. Fin del periodo prehispánico. Inicio de la etapa colonial.

Glosario

ACIAGOS. Que presagian desgracias y mala suerte.

AGÜERO. Presagio o señal supersticiosa de un acontecimiento futuro.

AHONDADAS. Excavadas, perforadas.

ALMANAQUE. Registro o catálogo de todos los días del año, distribuidos por meses y semanas, con datos astronómicos, meteorológicos, religiosos, etcétera.

ANCESTROS. Antepasados.

APOGEO. Momento culminante de un proceso.

APOLILLARÁ. Que la madera se deteriorará por la acción de las polillas.

APOLO. En la mitología griega y romana, dios del sol, la luz, la curación, la música, la profecía, el arco y la poesía. Hijo de Zeus y Leto, y hermano gemelo de Artemisa.

ARISTÓTELES (384-322 A. DE C.). Filósofo griego que nació en Estagira, Macedonia. Discípulo de Platón y maestro de Alejandro Magno.

ASEMEJAN. Que se parecen.

ASTROLOGÍA. Estudio de la influencia que la posición y el movimiento de los cuerpos celestes tienen sobre la vida y los acontecimientos humanos.

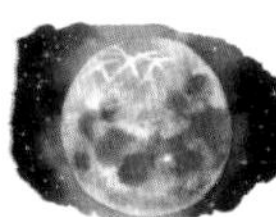

AZOGUE. Mercurio.

BENAVENTE, TORIBIO DE (*CA.* 1491-1569). Nació en España y murió en la Ciudad de México. Su verdadero nombre, que cambió al entrar a la orden de los franciscanos, era Toribio Paredes. Los indígenas, a quienes siempre defendió, lo llamaban Motolinía (pobre o humillado, en náhuatl). Autor de la *Historia de los indios de la Nueva España*.

BENIGNO. Templado, apacible, benéfico.

BOTURINI BENADUCCI, LORENZO (1702- *CA.* 1751). Llegó a la Nueva España en 1736. Se dedicó a reunir pinturas jeroglíficas, mapas, manuscritos y códices indígenas de gran importancia para la historia de México. Investigó sobre la aparición de la Virgen de Guadalupe. Autor de una *Nueva historia general de la América septentrional*.

CAÓTICO. Desordenado, confuso.

CARLOS I DE ESPAÑA Y V DE ALEMANIA (1500-1558). Rey de España. También fue emperador del Sacro Imperio Romano-Germánico. Hijo de Juana la Loca y Felipe el Hermoso, y nieto, por vía paterna, de Maximiliano I de Austria (Habsburgo) y María de Borgoña (de quienes heredó los Países Bajos, los territorios austriacos y el derecho al trono imperial) y de los Reyes Católicos (Trastámara) (de quienes heredó el Reino de Castilla, Nápoles, Sicilia, las Indias, Aragón y Canarias), por vía materna.

CATHERWOOD, FREDERICK (1799-1854). Explorador, dibujante, arquitecto y fotógrafo inglés. Famoso por sus exploraciones de las ruinas de la civilización maya, emprendidas en compañía del escritor inglés John Lloyd Stephens.

CENIT. Cuando el Sol se encuentra en su punto más alto en el firmamento.

CHAVERO, ALFREDO (1841-1906). Político, dramaturgo e historiador mexicano, gran conocedor de la antigüedad prehispánica. Se dedicó a investigar y escribir sobre el calendario azteca, el calendario de Palenque y el monolito de Coatlinchan, entre otros temas y piezas.

CÓDICE. Manuscrito antiguo de importancia artística, literaria o histórica.

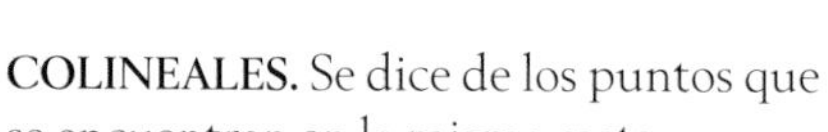

COLINEALES. Se dice de los puntos que se encuentran en la misma recta.

COLOSAL. De gran tamaño.

CONCEBIDO. Que fue proyectado o planeado con un fin determinado.

CONSTELACIONES. Conjunto de estrellas que, mediante trazos imaginarios sobre la aparente superficie celeste, forman un dibujo que evoca determinada figura: un animal, un personaje mitológico, etcétera.

CONTIENDAS. Peleas, batallas, riñas.

CORRELACIÓN. Correspondencia o relación recíproca entre dos o más cosas, ideas o personas.

CORROSIVO. Se dice de lo que tiene la virtud de desgastar lentamente una cosa.

CORTÉS, HERNÁN (1485-1547). Nació en Extremadura, España. A los 19 años se embarcó a las Indias. En 1511 partió con Diego Velázquez a colonizar Cuba. Organizó la expedición a México, a donde partió el 11 de febrero de 1519. Fundó la Villa Rica de la Vera Cruz y más tarde, con ayuda de los totonacas y tlaxcaltecas, entró a Tenochtitlán donde fue recibido por Moctezuma. Conquistó la región central de México y Guatemala. Sus restos están en el Hospital de Jesús de la Ciudad de México.

COSMOS. Conjunto de todas las cosas creadas. Espacio exterior a la tierra. Universo.

CUARESMA. En la Iglesia católica, tiempo que va desde el Miércoles de Ceniza hasta la Pascua de Resurrección.

CULTURA CALDEA. Se dice de un pueblo semítico, de origen árabe, que se estableció en la baja Mesopotamia y dominó este país, con capital en Babilonia, en los siglos VII y VI a. de C.

CULTURA EGIPCIA. Civilización asentada hace más de cuatro mil años en las orillas del río Nilo, al norte de África, que dejó al mundo un tesoro de obras artísticas.

CULTURA OTOMANA. Potencia imperial ubicada en su mayor parte alrededor de la ribera del Mar Mediterráneo, en lo que hoy conocemos como Turquía, que existió entre 1299 y 1922. En el cenit de su poder en el siglo XVI, este imperio incluía toda la península de Anatolia, Oriente Medio, extensiones del norte de África, la mayor parte de los territorios enclavados en la franja que va desde el sudeste de Europa (Balcanes, Grecia, Bulgaria, Rumania) hasta el Cáucaso, en el norte.

CÚPULA. Bóveda semiesférica, con que suele cubrirse un edificio o parte de él.

CÚSPIDE. Punto más alto de una situación, de un lugar o edificio.

DEIDAD. Dios o ente sagrado.

DESFASE. Falta de correspondencia entre dos fenómenos.

DESIGNIO. Pensamiento o propósito del entendimiento aceptado por la voluntad.

DETONANTE. Circunstancia que provoca un acontecimiento.

DURÁN, DIEGO (*CA.* 1537-1588). Historiador y religioso español. Autor de tres importantes obras sobre la cultura e historia americana prehispánica: *Libro de los dioses y los ritos* (1570), *El calendario* (1579) y la *Historia de las Indias de Nueva España e islas de Tierra Firme* (1867-1880).

DOMO. Cúpula.

ECLIPSE. Ocultamiento transitorio total o parcial de un astro por interposición de otro cuerpo celeste.

EMPEDERNIDOS. Obstinados, tenaces, que tienen un vicio o costumbre muy arraigado.

ENGRANES. Conjunto de las piezas que se articulan o enlazan.

ENIGMA. Dicho de una cosa que no se alcanza a comprender, o que difícilmente puede entenderse o interpretarse.

ESOTÉRICA. Secreta, reservada, mágica.

ESPECULACIÓN. Suposición o reflexión más o menos fundamentada que se realiza sobre algo.

ESTELAS. Monumentos conmemorativos que se erigen sobre el suelo en forma de lápida o pedestal.

ESTRATOS. Capas o niveles de una sociedad.

ÉXODO. Emigración en masa de un grupo humano.

FACETAS. Cada uno de los aspectos que en un asunto se pueden considerar.

FUGAZ. De muy corta duración.

GALILEO GALILEI (1564-1642). Astrónomo, filósofo, matemático y físico, cuyos logros incluyen la mejora del telescopio, gran variedad de observaciones astronómicas y la primera ley del movimiento.

GEMELLI CARRERI, JUAN FRANCISCO (1648-1724). Historiador y viajero que llegó al puerto de Acapulco a fines del siglo XVII. En 1700 publicó en Italia *Giro del mondo*, obra de ocho tomos.

GENÉTICA. Parte de la biología que trata de la herencia y de lo relacionado con ella.

GESTARSE. Iniciarse, desarrollarse.

GLIFO. Imagen que representa una palabra o concepto.

HIPÓTESIS. Suposición de la que se parte para elaborar una teoría o un razonamiento de carácter científico.

HUMBOLDT, ALEJANDRO VON (1769-1859). Geógrafo y naturalista que nació en Berlín, Alemania. Considerado el fundador de la geografía física. En 1799 inició su viaje a las colonias españolas. Contribuyó al desarrollo de la cartografía moderna al levantar mapas físicos de algunas de las regiones visitadas en América. A los setenta años de edad organizó en un libro, llamado *Cosmos* (1845-1847), los conocimientos adquiridos a lo largo de su vida.

INFRAMUNDO. Mundo localizado bajo la tierra; en la mitología prehispánica representa el infierno.

IMPROVISADAS. Que se hicieron de pronto, sin preparación alguna y con los medios de los que se disponía en ese momento.

INSIGNIAS. Condecoraciones o distintivos honoríficos.

INTRIGADOS. Que tienen mucho interés y curiosidad.

ISLAM. Religión que se rige por las leyes dictadas por el Corán y que considera a Alá el único dios y a Mahoma su profeta.

JUDÍOS. Los habitantes de Judea, los que emigraron de Judea y sus descendientes; personas que profesan la religión judaica.

LANDA, DIEGO DE (1524-1579). Misionero franciscano. Nació en Cifuentes de la Alcarria, España. Fue obispo de Yucatán, su obra *Relación de las cosas de Yucatán* es considerada una crónica fundamental de la región.

LÁPIDAS. Piedras lisas en las que se graba una leyenda.

LEGADO. Aquello, material o inmaterial, que se deja o transmite a los descendientes.

LEGENDARIAS. Maravillosas, quiméricas, fabulosas, inverosímiles o que tienen que ver con las leyendas.

LEÓN Y GAMA, ANTONIO DE (1735-*CA.* 1802). Astrónomo, físico y matemático que nació y murió en la Ciudad de México. A él se deben las primeras interpretaciones sobre la Piedra del Sol. Realizó cálculos acertados del eclipse de Sol del 6 de mayo de 1773 y, en 1776, determinó con exactitud el espacio en el que aparecería el cometa anunciado por astrónomos de Londres.

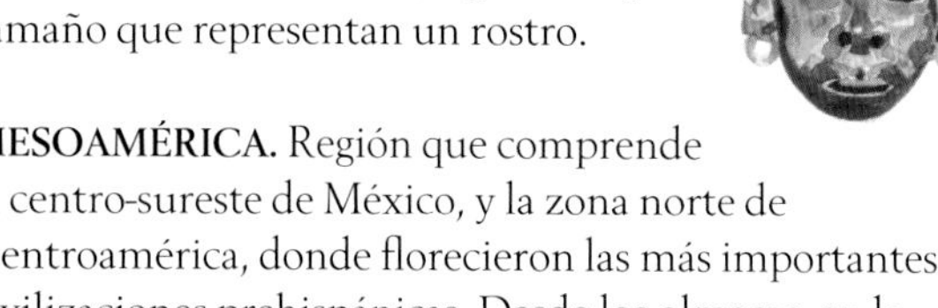

MASCARONES. Adornos, figuras de gran tamaño que representan un rostro.

MESOAMÉRICA. Región que comprende el centro-sureste de México, y la zona norte de Centroamérica, donde florecieron las más importantes civilizaciones prehispánicas. Desde los olmecas, en lo que hoy es el sur de Veracruz y Tabasco; los mayas, en la península de Yucatán, Chiapas, Guatemala, Belice y Honduras; los mixtecos-zapotecas, en lo que hoy es el estado de Oaxaca; los totonacas, al norte de Veracruz, y los toltecas y aztecas en el altiplano central, etcétera.

MESOPOTAMIA. Civilización que floreció en la antigüedad entre el río Tigris y el Éufrates, en el actual territorio de Irak.

MINERVA. Diosa de la artesanía, la sabiduría y las libertades cívicas, en la mitología romana. En la mitología griega se conoce como Atenea.

MITOLÓGICAS. Referente a dioses o héroes fabulosos creados por los pueblos antiguos.

MITOS. Narraciones fabulosas e imaginarias que intentan dar una explicación no racional de la realidad.

MURALES. Obra pictórica que se plasma sobre la superficie de una pared.

MUSULMANES. Que profesan la religión de Mahoma o Islam.

NETZAHUALCÓYOLTL (1402–1472). Monarca (tlatoani) de la ciudad-estado de Texcoco en el México precolombino y poeta. La completa educación recibida por el príncipe Netzahualcóyotl le permitió dejar una rica herencia artística, científica y humanística.

NÓMADA. Se dice del pueblo que se desplaza de un sitio a otro, sin residencia permanente.

NICHO. Cavidad en un muro para colocar una estatua o figura.

OBSESIÓN. Idea, imagen o impulso que persiste en la mente.

OROZCO Y BERRA, MANUEL (1816-1881). Historiador, abogado, escritor, ingeniero agrimensor. Ministro de la Suprema Corte de Justicia durante la administración de Benito Juárez. Fue uno de los iniciadores de la historiografía científica en México. Entre sus obras se puede mencionar: *Materiales para una cartografía mexicana*; *Memoria para la carta hidrográfica del Valle de México* e *Historia de la geografía en México*.

PANELES. Cada una de las piezas o separaciones en que se divide un muro.

PARADÓJICO. Sorprendente, absurdo, contradictorio.

PASO Y TRONCOSO, FRANCISCO DEL (1842-1916). Nació en la ciudad de Veracruz y falleció en Florencia, Italia. Médico de profesión, se dedicó a la arqueología, fue director del Museo Nacional de Arqueología, Miembro de Número de la Academia Mexicana de la Lengua, realizó diversos trabajos sobre la etapa colonial en Nueva España. Se le debe también la publicación de numerosa documentación inédita del siglo XVI.

PECULIARIDAD. Propiedad o rasgo característico de una cosa o de una persona.

PERSEVERANCIA. Constancia, firmeza o tesón en la realización de algo.

PERSPECTIVA. Técnica de representar en una superficie plana, como un papel o un lienzo, la tercera dimensión de los objetos, dando sensación de profundidad y volumen.

PLANIFICACIÓN. Trazado o proyección de una obra.

PLASMADA. Representada.

PROFECÍA. Don sobrenatural que consiste en conocer por inspiración divina las cosas distantes o futuras.

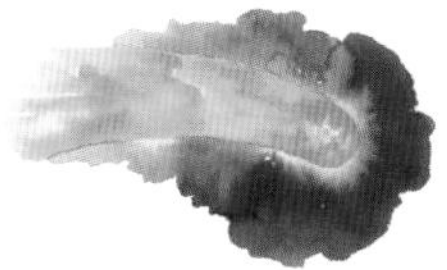

PRONOSTICABAN. Presagiaban o predecían a partir de algunas señales el futuro.

RUDIMENTARIOS. Simples, elementales, primitivos, toscos.

QUEVEDO, FRANCISCO DE (1580-1645). Escritor y poeta español, nacido en Madrid, España, figura importante del Siglo de Oro. Entre sus obras en prosa destacan *La vida del Buscón llamado don Pablos* y *Los sueños*.

RENACIMIENTO. Periodo de la historia que inicia en Italia en el siglo XIV y se difunde por toda Europa durante los siglos XV y XVI, en el que se revitalizan la cultura, las letras, las artes y las ciencias.

SAHAGÚN, BERNARDINO DE (1499-1590). Fraile franciscano autor de numerosas obras en náhuatl, español y latín, consideradas de gran importancia para la reconstrucción de la historia del México antiguo.

SANTA INQUISICIÓN. Tribunal eclesiástico establecido antiguamente para perseguir los delitos contra la fe católica.

SANTORAL. Libro que contiene la lista de los santos que se celebran cada día del año.

SEDENTARIO. Se dice del pueblo que está asentado permanentemente en un lugar.

SEGMENTACIÓN. Fragmentación, división.

SEQUÍA. Tiempo seco de larga duración.

SIGÜENZA Y GÓNGORA, CARLOS DE (1645-1700). Científico, historiador y literato nacido en la Ciudad de México. Autor, entre otros libros, de *La ciclografía mexicana*, *Manifiesto filosófico contra los cometas*, *Libra astronómica y philosophica* y la novela *Los infortunios de Alonso Ramírez*.

SISTEMÁTICO. Que sigue o se ajusta a un sistema o método.

STEPHENS, JOHN L. (1805-1852). Explorador, escritor y diplomático estadounidense. Figura central en la investigación de la civilización maya.

SUNTUOSO. Magnífico, grandioso.

SUPERSTICIÓN. Propensión a la interpretación no racional de los acontecimientos y creencias en su carácter sobrenatural o sagrado.

SUPLANTARLAS. Sustituirlas o reemplazarlas.

SIMBOLISMO. Conjunto de imágenes o signos.

SUPERSTICIONES. Creencias populares sin ninguna base lógica o racional.

TRAZADO. Plano o guía para hacer un camino o una obra.

VENERADO. Que se le rinde culto.

VESTIGIOS. Monumentos o ruinas que se conservan de los pueblos antiguos.

VINCI, LEONARDO DA (1452-1519). Célebre pintor, escultor, arquitecto, ingeniero, científico e inventor italiano. Hombre del Renacimiento por excelencia.

Ilustraciones

Página

45 ar. der.	Representación tomada de un códice mesoamericano de un conejo encerrado en una olla, que corresponde a la Luna.
45 ab. der.	Observatorio El Caracol, en Chichén Itzá, Yucatán.
46 ar. der.	Lápida de la galería de Los danzantes, en el Edificio L, en Monte Albán, Oaxaca.
46 ab.	Glifo maya, una de las numerosas representaciones de Quetzalcóatl, se encuentra en el Templo de Kukulkán, en Chichén Itzá, Yucatán.
46 ab. izq.	Detalle de la plataforma de Venus, en Chichén Itzá, Yucatán.
47 ar. der.	Fragmento de los murales de Bonampak, Chiapas.
48 ar.	Serpiente emplumada de la pintura mural de Cacaxtla, Tlaxcala.
48 cen. izq.	Detalle del Templo de Quetzalcóatl, en la Ciudadela de Teotihuacán, Estado de México.
48 cen. ab.	Quetzalcóatl representación en una estela.
48 ab. der.	Escultura azteca de Huitzilopochtli en piedra verde.
49 ar. izq.	Coyolxauhqui, en el Museo del Templo Mayor de la Ciudad de México.
49 ar. der.	El dios Quetzalcóatl en forma antropomorfa, esculpido en pórfido rojo, de la cultura mexica, probablemente del siglo XVI.
49 ab. der.	Detalle de la plataforma de Venus, en Chichén Itzá, Yucatán.
50-51	Pirámide de Kukulkán, llamada El Castillo, en Chichén Itzá, Yucatán.
52 ab. der.	Edificio conocido como El Caracol o El Observatorio, Chichén Itzá, Yucatán.
53 ar. der.	Máscara de la cultura mexica, del dios Quetzalcóatl, elaborada con turquesa, concha y obsidiana.
53 ab.	Interior de El Caracol.
54 ab.	Pirámide de Kukulkán llamada El Castillo, en Chichén Itzá, Yucatán.
55 ab. izq.	Atlante del templo de Tlahuizcalpantecuhtli, en Tula, Hidalgo.
55 ab. der.	El Castillo, en Chichén Itzá, Yucatán.
56 ab. izq.	El Palacio, en Palenque, Chiapas.
57 ar. der.	Método rudimentario de medir el tiempo mediante la proyección de una sombra producida por la luz del sol sobre una vara.
57 ab. izq.	Observatorio de Mayapán, Yucatán.
58-59	Cancha de juego de pelota en Chichén Itzá, Yucatán.

Página

60 ar. der.	Jugador de pelota, elaborado con arcilla, pertenece al periodo Clásico Tardío de la cultura maya, en la Isla de Jaina, Campeche.
60 ab. izq.	Aro o marcador de la cancha de juego de pelota en Chichén Itzá, Yucatán.
61 ar.	Cancha de juego de pelota, en Monte Albán, Oaxaca.
61 der.	Pelota mesoamericana.
62 ar. der.	Carlos I de España y V de Alemania.
62 cen.	Jugador con cinturón y pelota de hule.
62 ab.	Soldado español con indígena maya.
63 ar. der.	Jugador con pelota.
63 ab. izq.	Detalle de una escena de un sacrificio, del Tablero Noroeste, en Tajín, Veracruz.
64-65	La cosmovisión azteca, página 1 del *Códice Fejérváry-Mayer*, anterior a 1521.
66 cen.	Corazón de piedra verde, de la cultura mexica.
67 ar. der.	Detalle del Templo de los Jaguares, Chichén Itzá, Yucatán.
67 ab.	Calendario Azteca o Piedra del Sol, se encuentra en el Museo Nacional de Antropología, Ciudad de México.
68 ab.	Alegoría de la ceremonia del fuego nuevo en la cultura mexica.
69 ar. der.	Disco ritual con la representación de un cráneo humano, encontrado en Teotihuacán, Estado de México.

Bibliografía

Arellano Hernández, Antonio, "Las guerras venusinas entre los mayas", en *Arqueología Mexicana,* vol. VIII, núm. 47, México, enero-febrero de 2001.

Arochi, Luis, *Ciudades del México antiguo: Tula, Teotihuacán, Monte Albán, El Tajín y Chichén Itzá,* México, Panorama, 1992.

Brüggemann, Jürgen K. *et al., Tajín,* México, Gobierno del Estado de Veracruz, 1992.

Caso, Alfonso, *Los calendarios prehispánicos,* México, UNAM, 1967.

Ciudad Ruiz, Andrés *et al., Los mayas. El esplendor de una civilización,* Madrid, Turner, 1990 (Colección Encuentros).

Cortés de Brasdefer, Fernando, "La astronomía como principio de urbanismo en Mesoamérica: el caso de Kohunlich", en *Arqueoastronomía y etnoastronomía en Mesoamérica,* UNAM, México, 1991.

Drew, David, *Las crónicas perdidas de los reyes mayas,* México, Siglo XXI, 2002.

Dufétel, Dominique (coord.)*, Serpientes en el arte prehispánico,* México, Artes de México, 1996.

Fierro, Julieta, *La astronomía de México,* México, Lectorum, 2005.

Flores, Daniel, "Venus y su relación con fechas antiguas", en *Arqueoastronomía y etnoastronomía en Mesoamérica,* México, UNAM, 1991.

Florescano, Enrique, *El mito de Quetzalcóatl,* México, FCE, 1995.

Galindo Trejo, Jesús, "La obsesión celeste en el pensamiento prehispánico", en *Arqueología Mexicana,* vol. VIII, núm. 47, México, enero-febrero de 2001.

_________, *Arqueoastronomía: En la América antigua,* Madrid, Equipo Sirius, 1994.

González Torres, Yólotl, "Los precursores de los estudios de los astros en Mesoamérica", en *Arqueoastronomía y etnoastronomía en Mesoamérica,* México, UNAM, 1991.

Guías arqueológicas. México Desconocido, México, México Desconocido, 2002.

Iwaniszewski, Stanislaw, "La arqueología y la astronomía en Teotihuacán", en *Arqueoastronomía y etnoastronomía en Mesoamérica,* México, UNAM, 1991.

_________, "Ideas sobre el tiempo en la sociedad maya", en *Arqueología Mexicana,* vol. VIII, núm. 47, México, enero-febrero de 2001.

Köhler, Ulrich, "Conceptos acerca del ciclo lunar y su impacto en la vida diaria de los indígenas mesoamericanos", en *Arqueoastronomía y etnoastronomía en Mesoamérica,* México, UNAM, 1991.

León-Portilla, Miguel, *Quince poetas del mundo náhuatl,* México, Diana, 1994.

Leon Vellemaere, Antoon, "Una solución más para la correlación maya", en *Arqueoastronomía y etnoastronomía en Mesoamérica,* México, UNAM, 1991.

El libro del Chilam Balam, México, FCE, 2002.

Martin, Simon y Nikolai Grube, *Crónica de los reyes y reinas mayas. La primera historia de las dinastías mayas,* Eslovenia, Planeta, 2002.

Matos, Eduardo *et al., Aztecas,* México, Conaculta, 2002.

Mexique. Terre de tous les rêves, Espagne, Editions Soline, 1994.

Palacios, José, *La ciudad arqueológica de El Tajín: sus revelaciones,* México, Impresora, 1980.

Piña Chan, Román, *Chichén Itzá: La ciudad de las brujas del agua,* México, FCE, 1980.

Scheffler, Lilian, *El juego de pelota y sus supervivencias actuales,* México, Coyoacán, 1999.

Segovia, Víctor, "La astronomía en Uxmal", en *Arqueoastronomía y etnoastronomía en Mesoamérica,* México, UNAM, 1991.

Sejourné, Laurette, *Teotihuacán, capital de los toltecas,* México, Siglo XXI, 1994.

Sodi, Demetrio, *Los mayas el tiempo capturado,* México, Bancomer, 1980.

Solís, Felipe *et al., Museo Nacional de Antropología. México,* Madrid, INAH/Turner, 2004.

Sugiura, Yoko y Fernán González de la Vara, *La cocina mexicana a través de los siglos. México antiguo,* México, Clío, 1996.

Uriarte, María Teresa, *El juego de pelota en Mesoamérica,* México, Siglo XXI, 1992.

ÍNDICE

se imprimió en el mes de agosto de 2007 en los talleres de Hung Hing Printing, Shen Zhen, China • Se utilizaron las familias Berling y Myriad • Se imprimieron 3 000 ejemplares en papel couché mate de 150 gramos, con encuadernación en cartoné • El cuidado de la impresión estuvo a cargo de Ediciones El Naranjo.